U0270411

Inagaki
Hidehiro

稻垣荣洋
科学散文集

生物育儿
奋斗记

[日] 稻垣荣洋 / 著
[日] 吉竹伸介 / 绘
李瑶 / 译

贵州出版集团
贵州人民出版社

MIJIKANA IKIMONONO KOSODATE FUNTOKI —IKUJIJOZUNA OSU HA MOTERU！

by Hidehiro Inagaki

Illustrated by Shinsuke Yoshitake

Copyright © Hidehiro Inagaki, 2014

All rights reserved.

Original Japanese edition published by Chikumashobo Ltd.

Simplified Chinese translation copyright © 2025 by Light Reading Culture Media (Beijing) Co.,Ltd.

This Simplified Chinese edition published by arrangement with Chikumashobo Ltd., Tokyo, through Tuttle-Mori Agency, Inc.

著作权合同登记号 图字：22-2024-134 号

图书在版编目（CIP）数据

生物育儿奋斗记：稻垣荣洋科学散文集 /（日）稻
垣荣洋著；（日）吉竹伸介绘；李瑶译 . – 贵阳：贵
州人民出版社，2025. 1. –（N 文库）. – ISBN 978-7-
221-18782-6

Ⅰ. Q95-49

中国国家版本馆 CIP 数据核字第 2024HR7079 号

SHENGWU YUER FENDOUJI (DAOYUANRONGYANG KEXUE SANWENJI)
生物育儿奋斗记（稻垣荣洋科学散文集）

[日] 稻垣荣洋 / 著
[日] 吉竹伸介 / 绘
李瑶 / 译

| 选题策划 | 轻读文库 | 出 版 人 | 朱文迅 |
| 责任编辑 | 潘　媛 | 特约编辑 | 靳佳奇 |

出　版	贵州出版集团　贵州人民出版社
地　址	贵州省贵阳市观山湖区会展东路 SOHO 办公区 A 座
发　行	轻读文化传媒（北京）有限公司
印　刷	天津联城印刷有限公司
版　次	2025 年 1 月第 1 版
印　次	2025 年 1 月第 1 次印刷
开　本	730 毫米 × 940 毫米　1/32
印　张	6.125
字　数	107 千字
书　号	ISBN 978-7-221-18782-6
定　价	30.00 元

关注轻读

客服咨询

目录

"家庭"的确立

选择了一夫一妻制的人类

养育发育不成熟的孩子的能力

合力"育儿"

拴住男性的"女性的进化"

年轻女性受欢迎的原因

进化出的"祖母"

"奶爸"的登场

第一部分

对于生物来说，
"育儿"意味着什么？

Chapter
01
"男人"
存在的理由

为什么会存在着男人和女人呢?

生物中有雄性与雌性。人类中有男人和女人。

在研究雄性动物的育儿行为之前，让我们先动脑思索一下，为什么生物中会有雄性和雌性呢?

面对孩子们天真的提问，电台的电话咨询室会有专家进行通俗易懂的解答。这些工作人员时不时会收到一些令人吃惊的问题。

一个大约四岁的男孩，提出了这样一个疑问:

"为什么会有男孩和女孩呢?"

在这个世界上存在着男性和女性。虽然这件事看似理所当然，但其实生物也不是非要有雄性和雌性。雄性和雌性的存在，确实是一件很奇妙的事情。

在电台的电话咨询室中，专家会以简单易懂的方式，回答关于科学之类的问题，有时专家会被孩子天真的问题难住，有时也会有令人恍然大悟的高明回答。这样的互动正是电台节目的魅力所在。

但是，令人遗憾的是，对于"男孩和女孩的存在理由"这个过于单纯的问题，专家并未给出简单易懂的答案。

专家感到有些手足无措:"某某君，你知道X染色体和Y染色体吗?"虽然专家也进行了解释，但小孩子几乎是不可能理解这种概念的。即便是厉害的专家，最终也变得支支吾吾说不上话。感觉在电话那头的男孩仍然很困惑。

就在要挂断电话时，在一片尴尬的气氛中，电台的主持人大姐姐情不自禁地说道：

"某某君，只有男孩子一起玩，或者男孩子与女孩子一起玩，哪一个更让你开心呢？"

"男孩子和女孩子一起玩更开心……"

"对呀，所以肯定是要同时有男孩子和女孩子才更开心嘛。"

"嗯！"男孩子用充满活力的声音回答，然后挂断了电话。我由衷地对电台大姐姐的回答感到钦佩。

"男孩子和女孩子同时存在，这让人很开心。"因为正是这句话，明确地表达了生物进化造就雄性和雌性的理由。

雄性和雌性的诞生

在很久以前，地球上的单细胞生物并没有雌雄之分，它们只是简单地进行细胞分裂。即使在今天，许多单细胞生物仍然通过细胞分裂来增殖。

以细胞分裂进行增殖，意味着无论增殖多少，都只会产生与原个体相同性质的个体。然而，如果所有个体性质都相同，一旦环境发生变化，它们就可能会全部灭绝。

如果存在性质不同的各种各样的个体，即使环境发生变化，总会有一些个体能够幸存下来。比起繁殖相同性质的个体，繁殖性质不同的个体，更有利于生物的生存。

那么，应该如何做，才能繁殖出与自己具有不同性质的后代呢？

如果只用自己的基因来创造后代，那么就只能创造出与自己相同或性质相似的后代。如果想要创造出与自己不同的后代，最简单迅速的方式就是从其他源头那里获取基因。也就是说，最好是进行基因交换。

既然要花费一番功夫来进行基因交换，那么肯定是想获得与自己性质不同的对象的基因。

好比说，为了开拓不同行业的人脉，参加了跨行业的交流会，但是如果只和同行业的人交换名片，那么就无法扩展人际关系了。如果想改善这种情况，可以按行业分成不同的小组，让商务人士穿西装，厨师穿厨师服，建筑工人穿工装，然后选择和自己打扮不同的人进行名片交换。这样一来，一定能与不同行业的人相遇。

单细胞生物中的草履虫，通常通过细胞分裂进行繁殖，但这样做只能产生自己的复制品。因此，草履虫还会两两结合，并进行基因交换。

目前得知，在基因交换时，草履虫会有几个不同基因的群组，只有不同基因群组之间才会接合。

雄性和雌性这两个群组的存在，也是基于同样的机制。

就像跨行业之间的交流能够孕育新的领域一样，雄性和雌性通过基因交换可以产生出种类繁多的后代。因此，生物的多样性也会变得更加丰富。

将这个对于生物来说很重要的价值，精妙地形容为"让人开心"，电台的大姐姐可真是了不起啊。

"红皇后假说"

遗憾的是，雄性和雌性存在的原因，我们并不能完全下结论。

以雄性和雌性相遇来繁衍后代的方法，其效率不能说有多高。如果没有雌雄之分，把雄性全部替换为雌性，生育的后代数量将会翻倍。那么，这就让人想问：是不是即使如此麻烦，也必须要创造出性质各异的多样后代呢？

关于雄性和雌性存在的原因，人们提出了一些假说。

其中有一个被称为"红皇后假说"。

"红皇后"是在刘易斯·卡罗尔的经典作品《爱丽丝梦游仙境》续集《爱丽丝镜中奇遇记》中登场的角色。

在故事中，红皇后这样教导爱丽丝：

"听好了，在这里，即使停留在原地，也必须全力以赴地奔跑。"

被如此告知的爱丽丝和红皇后一起跑了起来，但周围的风景却一点也没有改变。正是因为周围的一切都在移动，移动的速度与全速奔跑的爱丽丝相同。因此，为了停留在原地，她必须一直拼尽全力地奔跑。

实际上，生物的进化与这个故事非常相似。

为了保护自己免受病原菌的侵害，动植物进化出了防御机制。与此同时，病原菌则进化出了更强的感染方法，用来破坏防御机制。而动植物不愿因为染病而灭绝，又不断进化出新的防御机制。动植物和病原菌之间长期以来一直在进行这样的斗争。如果不持续进化，它们将会面对无法存活的命运。这就是为什么它们要一直在进化之路上奔跑。

病原菌容易发生突变。因此，为了保护自己免受病原菌的侵害，动植物也必须时常创新防御方法。

这种时候，如果有雄性和雌性，就可以快速创造出各种各样的后代，也就是能够持续地产生变化。雄性和雌性存在的原因，正是为了以迅捷的速度不断地进行变化，这就是"红皇后假说"。

这一假说是否正确，还必须等待今后进一步的研究验证。但是，生物长期以来一直专心奔跑、持续进化到现在，这是毫无疑问的事实。

雄性是为了雌性存在的

为了提高多样性，生物创造了"雄性和雌性共存"这个系统。

因为基因可以重组，所以生物能够持续进行变化。而且，还有可能诞生出比父母辈更优秀的后代。由于雄性和雌性的出现，生物得以快速完成进化。

然而，是不是一定要有雄性呢？并不是——对雄性来说还挺难堪的。

例如，草履虫没有雄性和雌性的区别，所以两个草履虫个体接合并交换基因之后，两者都会分裂增殖。而区分了雌雄的生物，雄性不会生育后代，只有雌性能够。

那么，不能生育后代的雄性，其存在意义是什么呢？

雄性以精子的形式将自己的基因传递给雌性。然后，雌性将精子的基因与携带了自己基因的卵子相组合，创造出后代。

也就是说，雄性是一个工具，帮助生育后代的雌性高效改变基因。很遗憾，从生物学角度来看，雄性的功能就是这样。

不需要雄性？

"有性生殖"指的是雄性和雌性通过基因组合生育新的后代，这是一种创造能适应环境变化的后代的重要方法。

然而，这种说法，是基于整个进化历史上来看的。

从短期来看的话，雄性和雌性一起繁殖后代的方法伴随着高成本和高风险。首先，雄性和雌性并不总是能够成功相遇。而且，如果雄性伴侣条件劣等，那下一代有可能会比这一代更差。如果把雄性都换成能生育孩子的雌性，繁殖效率就会提高一倍。因此，不靠雄性帮助，仅由雌性独自繁殖的生物并不罕见。

例如，害虫中的蚜虫，雌性在没有与雄性交配的情况下，可以连续生产后代。它们在腹中不断生成虫卵，卵不断孵化出幼虫。就这样，蚜虫以惊人的速度繁殖。正是因为省略了与雄性见面和交配的烦琐仪式，这种高效的繁殖才有可能成为现实。

不仅是昆虫，鱼类、两栖动物和爬行动物中也有雌性可以独自产卵的情况。

在钓鲫鱼等活动中人气很高的银鲫，其实也是雌性独自生育后代的鱼类。银鲫基本为雌性，单靠雌性就能产卵。其实，这样的鱼卵并不能孵化，但如果有泥鳅或鲤鱼等其他鱼类的精子，在其刺激下鱼卵会发育，诞生出小鱼。虽然说需要其他鱼类的帮助，但从遗传上说仍然是仅靠母亲生育后代。

还有一种情况，有的生物由于难以见到雄性，就在雌性身体里融合了雄性的功能。

例如，蜗牛和蚯蚓是雌雄同体，同一个身体内既有雌性部分也有雄性部分。蜗牛和蚯蚓的移动范围很狭小，雄性和雌性相遇的机会很少。因此，不管遇到的个体是什么性别，它们都能够进行交配并留下后代。

而有些贝类甚至连这种会面都觉得麻烦，它们会释放精子，自己进行受精，独自留下后代。此外，有一些鱼类同时拥有卵巢和精巢，并且会在自己产下的卵上覆盖自己的精子，来完成后代繁殖。

尽管人类社会区分了男性和女性，但在生物界中，雄性并不是必需的存在。

雄性的责任

为什么存在雄性？很遗憾，这个问题看似过于简单，但其实尚未有确切答案。

尽管如此，世界上是存在"雄性"的。雄性一定拥有确切的存在价值，才会存在。男性同胞至少能这样宽慰自己。

生物的显著特征是繁殖。因此，生物的基本构造是雌性。

说到人类的"男女之别"，通常是以男性作为基础，然后指出女性的差异。但从生物学的角度来看，我们必须以女性为基础，描述男性的差异。

然而在生物界，雄性和雌性的区别并不像我们人类认为的那样严格。例如，有些鱼在出生时是雄性，但在长大之后，它们轻松地变性，成为雌性。每个年轻人都是男性，然后在某个岁数后都变成了女性，这在人类世界看来是不可思议的，但在鱼的世界中并不罕见。

此外，像鳄鱼、乌龟和蜥蜴等爬行动物中的许多种类是由卵所处的环境温度决定雌雄的。鳄鱼类的卵在中等温度下会变成雄性，而在较高或较低的温度下会变成雌性。此外，有些龟类的卵会在低温下变成雄性，在高温下变成雌性；也有些会像鳄鱼一样，在中等温度下变成雄性，而在低温和高温环境下变成雌性。

雄性和雌性之间的差异，就是这种程度而已。

对于哺乳动物来说，雄性和雌性有着遗传上的差异。例如，人类中的雄性有XY染色体组合，而雌性有XX染色体组合。

只是，X染色体是与性别几乎无关的染色体。相对地，Y染色体是决定是否为雄性的染色体。Y染色体负责生成精巢。

从遗传学上说，雄性和雌性的区别，仅仅是拥有精巢或卵巢这种微小的差异。这指的是精巢和卵巢等生殖器官所产生的性激素。例如，在用老鼠进行的实验中，给雌性注射雄性激素，雌性表现出了雄性行为。而另一方面，去除雄性的精巢，使其不再分泌雄性激素，则会使其表现出雌性行为。换句话说，如果没有任何性激素，生物会表现为雌性。还有就是，雄性是由雄性激素塑造的。

说起来，就算有人自鸣得意地认为是基因决定了自己是男性，那也只是雌性加上了Y染色体变成了雄性而已，没什么了不起的。

雌性和雄性哪个更大？

在人类世界中，男性的体格通常比女性大。

然而，在生物界中，雄性和雌性哪个更大呢？

妻子高大、丈夫矮小的夫妇，在日本俗称为"跳蚤夫妇"。正如这个词所表达的，跳蚤的雄性更小。

实际上，在观察生物时，类似跳蚤这样雄性更大的情况是比较常见的。特别是在昆虫等无脊椎动物中，雌性通常比雄性更大。雌性的身体越大，就能产卵越多。因此，雌性会更大。

不过，对于雌性更大这种说法，太过于"雄性本位"了。

在生物界中，雌性负责繁殖后代，而雄性则因为雌性而存在。如果将雌性视为生物的"本体"，我们应该说"雄性更小"。

雄性不会生育后代，只需制造精子即可。因此，雄性不需要长得很大。

换句话说，如果深究起雄性的功能，我们可以说，雄性不需要变得很大。

到了秋天，我们能看到的显眼的棒络新妇蜘蛛，基本全都是雌性。雌蛛通常具有鲜艳的黄色和黑色条纹，一看就知道是棒络新妇蜘蛛。而雄蛛的大小只有雌蛛的三分之一不到，简直像蜘蛛宝宝一样。为了产卵，雌蛛需要更大的身体，而如果只需要交配的话，雄蛛只用小小的身体就够了。

其中最明显的例子可能是深海鮟鱇。

有一种名为密棘角鮟鱇的鮟鱇，与雌鱼相比，雄鱼显得非常小。雌鱼可长到40厘米，而雄鱼仅有4厘米左右。雄鱼会附着在雌鱼身上，像融合在一起一样，它们依赖雌鱼获取养分，简直是寄生虫。一旦成为雌鱼的附属物，雄鱼会失去视力，用来游泳的鳍也会消失。就这样，在和雌鱼的身体融合的同时，雄鱼只有精巢会继续发育。也就是说，雌鱼需要的只是精巢而已。

在这种情况下，雄鱼变成了仅仅为产生精子而存在的工具。释放精子之后，雄鱼最终会被雌鱼的身体吸收，消失无踪。

不要为它们感到悲哀。

雄性的存在，是为了向雌性提供精子。如果从这个角度考虑，专注于其功能的雄性深海鮟鱇，可以说是"男人中的男人"。

雄性更大的生物

确实，很多生物都是雌性比雄性大。但是，也有读者会想到一些例外情况吧。

例如，小朋友非常喜欢的独角仙，就是雄性较大。雄性独角仙有犄角，并且体形强壮。相对地，雌性独角仙没有犄角，体形较小。正因为如此，在宠物商店中，雄性独角仙的价格往往更高。

雄性独角仙之间会为了争夺雌性而展开激烈的战斗。因此，雄性的体形会变得更大、更强壮。

雄性独角仙会独自享用食物，而雌虫虽然体形较小，也能够在雄虫的领地里获取食物。但是当锹甲等其他昆虫想一起"蹭饭"时，雄性独角仙会赶走它们。这样看来，雄性独角仙是为了保护雌性独角仙而让自己的体形变得更大。

雄性的体格，无论是小还是大，都有其策略。

这一点可以用鱼做例子。

随着年龄的增长，鱼类的体形会变大。如上文所述，在这个过程中，有些鱼在小的时候是雄性，但随着体形的增大会变成雌性。想要产出大量的鱼卵，就需要大量的能量。因此，雌性是必须有大体格的。另一方面，仅仅是制造精子的话，只需要少量的能量就够用了。因此，小个子的鱼成为雄性就很合理。

然而，也存在相反的情况：小时候是雌性，但随着发育长大，变性为雄性。

对于雌性来说，雄性不仅能够提供精子，还能保护雌性。因此，大体格的雌性会变成雄性，承担起保护雌性的责任。

因为单个雄性能够向很多雌性提供精子，所以，不能产卵的"笨蛋"雄性只需要一个就够了。因此，只有体格最大的雌性才会转变为雄性的角色。

居住在珊瑚礁的红头虾虎鱼，在这方面则更加随心所欲。红头虾虎鱼在小时候是雌性，随着成长逐渐变成雄性。然而，当要开始繁殖配对的时候，如果偶然相遇的两条都是雄性，那么体形较大的那个将成为雌性；相反，如果是两条雌性，较小的那个将成为雄性。就这样，红头虾虎鱼非常有策略性地对"是否变成雄性"这个选项加以巧妙利用。

体格大的雄性很威风吗？

在包括人类在内的哺乳动物中，通常雄性比雌性体形更大。

对于我们哺乳动物来说，"男子气概"意味着体形壮硕、力量强大。

一般来说，雄性强壮，雌性柔弱。如果研究生物的进化史，可能会得出雄性是为了雌性而存在的结论，但对于哺乳动物，雄性看起来似乎处于比雌性更为优越的地位。实际上的情况是怎样的呢？

在哺乳动物中，强壮的雄性会成为领导者，而雌性则从属于它。此外，雄性之间经常发生激烈的争斗，争夺雌性。于是，力量强大的雄性会最终胜出，使雌性成为自己的所有物。

雄性为争夺雌性而战斗，丝毫不考虑雌性的想法，这样的雄性让人感觉相当自私。但是仔细想想的话，这套系统实际上对雌性来说非常方便。

为了留下优良的后代，雌性必须找到优秀的伴侣。

然而，要判断哪个雄性更为优秀并非易事。如果雄性之间进行竞争和战斗，雌性就能不费吹灰之力，辨别出哪个雄性更胜一筹。也就是说，对于雌性而言，这就是一个可以自动选择优秀伴侣的系统。

此外，体格大的雄性还担负着保护雌性的任务。

体形庞大且强壮的雄性会确保食物来源，并保护雌性免受敌人的威胁。同时，避免差劲的雄性和雌性交配这种情况，阻止它们传递劣质的基因，也是强壮雄性的任务。

强壮的雄性为了向雌性提供优质基因而互相竞争，为了保护雌性，不惜付出生命来战斗。雄性一切的行动都是为了雌性。此外，雄性必须持续产生大量的精子，用来供给雌性。因此，可以说雄性的能量消耗比雌性要大得多。实际上，在哺乳动物中，一般认为雄性寿命比雌性短。这也适用于人类，通常来说，女性比男性更长寿。

体格小的雄性，是向雌性提供基因的工具；而体格大的雄性，是保护雌性的工具。

无论是个子小的雄性，还是个子大的雄性，所谓雄性，真是一种可悲的生物啊！

雌性选择雄性

无论雄性再怎么虚张声势，热衷于展现自己的强大，从生物学的角度来看，雄性是为了雌性而被创造出来的。

说到底，为了留下优秀的后代，是由雌性来选择雄性的。

雄性哺乳动物之间争夺雌性，这样看起来，雌性似乎没有权力进行选择，然而实际上，是拥有合适基因的雄性被雌性任意挑选，所以选择权仍然在雌性手中。

那么，雄性完全没有选择权吗？

当然，雄性也是有权力挑选的，但是，从本质上来说就没有选择权的雄性，不会过分挑剔雌性。

雄性要留下基因时，它会与雌性交配，将精子传递给雌性。一旦精子用完了，它能够马上再产生精子，并与下一个雌性交配。因此，与其仔细挑选雌性，更有利的做法是不在乎对象是谁，迅速地与一个又一个的雌性交配。

另一方面，雌性却不同。一旦与雄性交配、怀

假如能够重生，
你想当什么生物呢？

总之，只要不是男性，
什么都行。

孕，在生下孩子、结束育儿之前，雌性是无法与下一个雄性交配的。由于留下后代的机会并不多，雌性需要反复斟酌，谨慎地选择伴侣。

因此，雄性采用"数量胜过质量"的繁殖策略，而雌性采用"质量胜过数量"的繁殖策略。

在生物界，雄性普遍具有不忠的特点。

当然，这并不意味着男性人类就可以随意发生不忠行为。

为了留下后代，雌性要消耗非常大的能量。因此，雌性总是会极为重视子女。另一方面，雄性消耗能量则是为了雌性。

战斗的规则

为了延续优秀的基因，雌性会选择强壮的雄性。然后，雄性会为了竞争激发出强大的力量，进行战斗。

但是，一旦战斗过于激烈，雄性会互相造成伤害。由于雄性必须保护雌性免受天敌的侵害，过度受伤对双方都不算是一件明智的事情。

因此，生物界演变出了一些规则，让雄性在战斗中不会遭受过多的伤害，同时也能决出胜负。

有一种被称为接吻鱼的鱼类，正如其名，是一种常常互相亲吻的鱼。然而，这种亲吻并不是雄性和雌性之间的爱意表现，而是雄性与雄性之间争夺领地的一种形式。它们通过激烈的亲吻来展开争斗。

梅花鹿是世界上最大的鹿类之一，拥有非常神气的角。这些角过于庞大，大得无法作为武器。其实，在梅花鹿的世界里，雄性之间的胜负是通过角的大小来决定的。鹿角大的一方，就是胜出的一方。如果两只梅花鹿的角大小相同，它们可能会互相碰触一下，但通常不会真的打起来。

此外，河马会张大嘴巴，互相竞争嘴的大小。

就算是嘴巴张不大，河马的力量也不会被否定。实际上，它们也可以通过武力竞争来决定胜负。然而，如果违反规则进行"卑鄙的"战斗，雄性之间可能会相互伤害，进而威胁到整个生物种群的存亡。因此，它们进行着在人类看来非常和平的竞争。

在生物界，雄性之间的竞争虽然激烈，但很少会演变成致命的战斗。胜负通常是由其中一方认输或逃跑来决定的。

虽然是题外话，但还是想说，与此同时人类却在以"战争"之名互相杀戮。

这种事是否令人遗憾呢？拥有强大力量的人类，已经没有了需要畏惧的天敌。人类之所以能够放心地互相伤害，或许是因为即使两败俱伤，也没有强大的天敌趁机威胁人类的地位。

以外貌为选择标准

鸟类的天敌众多，因此同类之间不能进行毫无意义的争斗，以免给彼此造成伤害。因此，雄性鸟类另辟蹊径，以优雅的战斗方式来获取雌性的芳心。

它们战斗的武器，是羽毛的颜色和鸣叫的声音。

很多雄性鸟类有漂亮的羽毛颜色，而另一方面，作为挑选雄鸟的雌鸟，羽毛颜色反而是很朴素的。雄鸟通过自己漂亮的羽毛颜色来吸引雌性。鸟类还会争相歌唱，这是雄鸟在宣告领地，呼唤雌鸟。

雄性孔雀展示绚丽的羽毛；雄性树莺用优美的歌声宣告春天的到来，都是为了向雌性展示强烈的吸引力。另外，有些种类的鸟会用华丽的舞蹈代替歌唱，以吸引雌性。就像这样，雌鸟只通过对雄鸟外表的印象来选择伴侣。

然而，在选择伴侣时，我觉得内在品质比外表更为重要。女性朋友是否也有同样的感觉呢？在选择伴侣时，真的可以只凭外表来决定吗？

解释这一观点的理论被称为"不利条件原理"（The Handicap Principle）。

在自然界中，美丽的羽毛并非孔雀生存的必需品，而是无用之物。非但如此，显眼的外表容易被天敌发现，过长的羽毛也会影响动作的灵活性，完全是碍事的东西。

然而，虽然雄鸟有这种易于被敌人发现的外表，并且难以获取食物的同时，仍然能够在艰难的自然环境中生存下来，也就意味着它们拥有卓越的生存能力和强大的实力。

这种理论表明，雄性鸟类通过这种方式向雌鸟宣告其实力。

此外，拥有漂亮而气派的羽毛，也意味着它们没有受到病原菌的侵害。例如，欧洲的燕子中，拥有较长尾羽的雄性更受雌性欢迎。这是因为长尾羽是健康而强大的标志。事实上，据说寄生虫较少的雄鸟，其尾羽较长。

然而，与欧洲的燕子不同，日本的雄性燕子是会孵卵的"奶爸"，所以尾羽过长会妨碍雄性孵卵。因此，日本的雌性燕子的挑选重点是喉咙上红色部分的大小，以及尾羽上的白色斑点，而不是尾羽的长度。无论如何，在生物界中，以外表为选择标准是合情合理的。

美女和帅哥受欢迎的原因

回到关于人类的讨论，人类女性也一直在选择男性。

在不久的过去，曾经流行说"三高"男性最受欢迎。所谓的"三高"是指高身高、高学历、高收入。

身体素质优越、智力出众、社会地位高，这三点常常代表拥有优秀的基因。因此，女性可能会被这类"三高"男性吸引。从生物学的角度来看，这就是想要将优秀的基因传给后代。

然而近年来，和"三高"相反，开始流行起"三低"的说法。所谓的"三低"是指低姿态、低依赖、低风险。

在竞争激烈的社会中，卓越的男性更有可能取得成功。然而，在不稳定的现代社会中，竞争力强并不一定保证能够成功。

与此相比，稳定性更有利于保护家庭、抚育子女和留下后代。也许，女性的思考方式发生了变化，这是由于她们敏感地察觉到了环境的变化。事实上，从生物学的角度来看，这样的变化是合理的。

此外，虽然男性和女性都有自己个人的喜好，但总体来说，大家都倾向于喜欢外表漂亮的异性。一般来说，男性容易对美女动心，而女性则容易被美男吸引。

虽然原因尚不明确，但有一种观点认为，颜值处于平均值的脸是美丽的。有些人拥有和他人非常不同的特征，和他们相比，拥有中间特征的人更可能在群体中得以生存。因此，人们可能喜欢将符合平均值的面孔视为"美丽"的标准。

另外，五官位置整齐，没有不对称的地方，表明遗传上没有缺陷，而肌肤的平滑光洁则显示出个体对病菌的强大抵抗力。

人类的喜好，和鸟类会选择有美丽的羽毛、长长尾羽的个体一样，两者之间可能没有太大差异。

男性的"凝视"有其原因

就像女性会挑选"三高"或"三低"男性一样，男性也会挑选女性。

一些女性会努力减肥，但一般来说，男性比女性更喜欢丰满的身材。从生物学的角度来看，这是因为想要平安地生下孩子、进行哺乳，比起瘦削的身材，拥有适度的脂肪作为能量来源更为重要。

另外，一般来说，男性对女性的身材比例很感兴趣。

"胸、腰、臀"可以体现男性的喜好，一般是丰满的胸部、紧实的腰身，以及圆润的臀部。但是，从生物学的角度看，这种"下流"的喜好是出于繁殖后代的合理理由。

拥有丰满的臀部，意味着骨盆结构良好，生育能力强。人类由于直立行走，产道变得狭窄，相比其他动物，人类的分娩是很困难的。人类的分娩过程，在生物界属于"难产"，因此拥有丰满的臀部是顺利分娩的有利条件。

饱满的胸部可以体现拥有分娩和哺育所需的脂肪。此外，动物学家德斯蒙德·莫里斯在畅销书《裸猿》中提出了这样的理论："人类女性直立行走之后，就看不到臀部了，因此作为替代，进化出了丰满的胸部，以增加性吸引力。"

尽管脂肪是高生育能力的证据，但过于肥胖的女性一般也不受欢迎。

如果人类男性以繁殖后代的眼光看待女性的话，过于肥胖的女性代表可能已经怀孕了。

男性会被女性吸引，究其根底，是想要留下后代。这也就解释了为什么已经怀孕的女性在男性看来缺乏魅力。这样一想，男性对小蛮腰的执着也能得到解释。也就是说，腰部有曲线，表明女性没有怀孕。另外，腰部曲线可能也是为了强调胸部和臀部，以达到增强性吸引力的效果。

Chapter
02
名为寿命的策略

生物存在的目的

我们已知的生物物种，大约有两百万种。

所有生物的生存目标都很清晰，那就是为了留下后代。世代不断更迭，生命得以延续。而作为接力棒的基因则在时光流转中传承下去。

由此得出，生物的身体是为了跨越时间将基因传递给下一代的"基因载体"。

如果要问这个生命接力的目的是什么，答案并不明确。

但是，就像雪球一旦开始滚动，就会越来越大、越来越快一样，生物将生命代代相传的同时，也在不断进化。将这个生命接力赛连接起来的东西就是生物生存所需的能量。

人类因为拥有了智慧，会努力寻找各种"生存的意义"，不断思考着、烦恼着。然而，许多生物并不烦恼。对于它们来说，自己生存着，然后留下后代，像这样传递生命，就是生存的目的。

对于被称为"万物之灵"的人类来说，也许有一些应该扮演的角色。然而，"现在，我正在生存着"这件事情，对于许多其他生物而言，已经足够了。

为了子孙的死亡旅程

生物生存的目的在于留下后代。

极端点说的话，如果说不能留下子孙后代，那么生存的理由便不存在。

当然，仅仅以这样的目的度过人生，也太过于寂寞了。人类生存的理由并不仅限于此。"找到人生的目的这件事本身，就是人生的目的"，在日本也有类似于这样的说法。

然而，从生物学的角度来看，毫无疑问，生物的存在是为了留下后代。

其证据是，一旦完成了留下后代这个任务，许多生物就会如同完成了人生的目标一般，结束它们的生命。

众所周知，为了产卵，鲑鱼会洄游到出生地，这场旅途需要冒着生命危险，鲑鱼要穿越湍急的河流，躲过捕猎的熊，一个劲地向河流的上游前进。

终于到达河流上游时，鲑鱼已经伤痕累累。然后，雌性鲑鱼会用尽最后一丝力气产下鱼卵，而雄性鲑鱼也会使出最后一丝力气让鱼卵受精。

产下鱼卵的鲑鱼耗尽了体能，安静地结束了它们的生命。如果它们留在海洋，可能会过上更安稳的生活。然而，为了留下后代，为了延续生命的薪火，它们连食物都不吃，赌上生命，回到故乡的河流。这简直就是一场死亡之旅。

难不成时间就如此巧合，鲑鱼在生下鱼卵的同时就会死亡吗？难道就没有余力生存下来吗？

实际上，鲑鱼是被"程序化"地设定为一旦产下了卵，自己就会死去。在产卵的同时，死亡程序启动，性激素的分泌停止。然后，鲑鱼就死亡了。

如果鲑鱼父母生存下来，它们将不得不与子女争夺食物。因此，为了不妨碍子女，它们会安静地离去。

蝉也是如此，在歌颂了短暂的夏天后死去。虽然冬天尚未到来，盛夏的余热仍在，如果它们愿意的话或许还能继续生存。然而，一旦产下了卵，达成了目标的蝉就会"自愿"结束生命。

死亡真是件讨厌的事啊。

为啥？

为啥？

为了"育儿"需要的寿命

一旦世代更迭，那些只会和子女争夺食物的父母，反而成为不必要的存在。因此，父母一代需要迅速退场。

然而，如果它们可以育儿或者保护子女，情况就不同了。虽说已经留下了孩子，但它们不能简单地死去。因此，会养育孩子的生物，在生下孩子后，还有用来育儿的寿命。

章鱼在岩洞的顶端等地方产卵后，就会拼尽全力照看卵，使其免受天敌侵害。它们给卵喷新鲜的水，清理卵的表面，以防霉菌滋生。在此期间，章鱼几乎没有时间吃饭，专心致志地照顾卵。然后，大约一个月后，当小章鱼从卵中孵化出来时，章鱼妈妈会安静地结束自己的生命。

这种死亡也是章鱼自发的。章鱼有一种称为"视腺"的分泌腺。一旦结束产卵，视腺就会分泌出导致死亡的物质。据实验证明，移除这个分泌腺后，雌性章鱼能够活得更久。

也许可以这样说，会育儿的生物，为了子女，它们进化出了更长的寿命。

名为"死亡"的程序

"衰老然后死亡",是生物的一种策略。

随着年龄的增长,我们的身体会出现问题。然而,不像汽车或电器变旧那样,我们的身体不会"变旧"。

我们的身体一直在进行细胞分裂,产生新的细胞。老旧的细胞会死亡,像污垢那样脱落,并且从内部不断产生新的细胞。通过这种新陈代谢,在短短三个月内,我们的细胞会全部更新一次。

也就是说,无论年龄多大,我们的皮肤和内脏从理论上来说,都应该像新生儿一样,由新生的细胞构成。然而实际上,我们成年人的皮肤不再充满弹性,内脏也逐渐衰弱。这是因为我们的细胞自己选择了衰老和死亡。

原始的单细胞生物,通过细胞分裂能够让生命传承好几亿年。虽说细胞是分裂了,但细胞不会衰老。然而,我们的细胞有所不同。为了自我死亡,我们的细胞"编写"了一套程序。为了维持一定的数量,细胞分裂进行到一定程度后,就会开始死亡。这种死亡被称为细胞凋亡(程序性死亡)。

而作为细胞聚集起来的个体,如果要进行生命的接力,为了不妨碍到下一代,也"编写"了一套程序,用来让生命走到尽头。

名为"寿命"的系统

所有的生物都有寿命限度。

有些植物能够生存千年甚至万年，比如绳文杉。

植物中也有一年生植物，在一年内就会凋零。其实，一年生植物是在进化过程中较晚出现的植物。很奇怪，一年内凋零是进化后的结果。为什么植物会特地把自己的寿命进化得更短呢？

所有的生物，都为了能够活下去而拼命寻找食物，竭力保护自己，严防天敌的侵害。即使是蚯蚓和水蚤，也会设法逃脱危险，努力活下去。没有生物想死。相反，它们希望尽可能地延长生命。

然而，和这种愿望背道而驰，所有的生命都一定会迎来死亡。而这种死亡是生物自主选择的。更令人奇怪的是，有些生物似乎刻意把寿命进化得更短。

为什么生物会有有限的寿命呢？

为了光辉的生命

正如人们常说的"有形之物终将毁灭"一样，世上没有什么事物能够永恒存在。如果一直活了几千年，可能会遇到各种各样的障碍，可能会受到病菌的侵袭，也可能会遭遇意外事故。即便生命没有寿命限制，能达到永恒，但一直活下来也并非易事。

因此，为了能够永远存续下去，生命进化出了一种方法，就是先自我毁灭，然后重新开始。换句话说，一个生命在一定时间内死去，并且孕育出新的生命，取而代之。

孕育新生命，留下子孙后代，传递生命的接力棒，然后自己功成身退。

通过死亡，生命能够超越世代，持续不断地传递下去，从而实现了永恒。

每种生命都有使命。为了履行使命，生命会努力活下去。然而，为了确保使命的履行，活着的时间是有限的。

也可以换种说法。

为了保留生命的光芒，生命发掘了有限寿命的价值。然后，闪耀着光辉的生命，将新的光芒交付给下一代。

Chapter
03
对于生物来说
"育儿"是什么

"育儿"的进化

会育儿的生物，实际上没那么多。

大多数生物，只是不停地产卵或生孩子，但并不负责照顾孩子。然而，在进化过程中，一些生物获得了"育儿"的能力。

让我们站在育儿的角度，来看一看生物的进化。

最早出现在地球上的脊椎动物是鱼类，除了一些特殊的种类，鱼类一般是不会进行育儿的。鱼类只会不停地产出大量鱼卵而已。

在残酷的自然环境中，如果只是把卵产出来，其他什么都不管，那么卵能够顺利孵化的概率非常小。因此，鱼类不得不产出大量的卵。

水族馆中人气很高的鲸鲨，它们能产下的卵多达三亿颗。一头雌性鲸鲨产下的卵，可以超过日本人口总数的两倍。如果这些卵都能顺利长大，那么世界上所有的海域恐怕都会被鲸鲨填满了。不过，这种担心是多余的。

两头鲸鲨生下来的卵，最终存活下来的仅有两头左右。这就是自然法则。鲸鲨卵的实际存活率为一亿五千万分之一。这些卵顺利成长为成年鲸鲨的概率，比中彩票头奖的概率（一千万分之一）还要低得多。

听到这些，我们就知道水族馆里的成年鲸鲨运气有多好。

相反地，如果鲸鲨产下的卵不到三亿颗，那么鲸鲨的存活数量将会减少。不育儿的生物所要面对的情况，就是这么残酷。

由鱼类进化成的两栖动物也有类似的特征，它们也是只产卵，不育儿。

那么，从两栖动物进化而来的爬行动物又是什么情况呢？

与两栖动物在水边产卵不同，爬行动物选择在干燥的陆地上产卵。为了防止卵变干而死亡，它们会生出有坚硬外壳的卵。此外，为了保温，它们也会在土壤中产卵。

然而，除了一些例外情况，爬行动物为它们的孩子所做的，也就到此为止了。被父母埋藏在土壤中的

真好啊……

卵必须自己孵化出来，然后在残酷的自然环境中生存下去。

鸟类的情况又是怎样呢？

鸟类会筑巢，在巢中孵卵，鸟类的父母会不辞辛劳地给雏鸟送食物。许多鸟类都进行"育儿"。为什么爬行动物不育儿，而同样都是产卵的鸟类却会育儿呢？这究竟发生了什么呢？

最早进行"育儿"的生物

尽管不多见，但鱼类、两栖动物和爬行动物中仍然存在着进行类似"育儿"行为的物种。因此，并不能确定，在生物进化的过程中，哪种生物最早开始育儿。

但是，在鱼类、两栖动物和爬行动物中，会育儿的种类是很稀少的。那么，为什么鸟类会"育儿"呢？

鱼类进化成两栖动物，两栖动物进化成爬行动物。大家可能会认为爬行动物进化成了鸟类。但实际上，爬行动物并不是直接进化成鸟类的。

其实，在鸟类的前一个阶段，爬行动物进化成了另一种生物。

那就是"恐龙"。

恐龙与蜥蜴、鳄鱼等爬行动物不是同一类别。它们是进化程度更高的生物。

有一种观点认为，爬行动物是变温动物，体温随外界温度而变化，而恐龙是恒温动物，体温保持稳定，不受外界影响。此外，恐龙群居生活，根据季节变化移动栖息地，进行迁徙。也就是说，比起爬行动物，恐龙的特性更接近于鸟类。

爬行动物进化成恐龙，恐龙进化成鸟类。

之后，恐龙灭绝了，作为恐龙祖先的爬行动物，以及作为恐龙后代的鸟类却幸存了下来。

那么，恐龙会育儿吗？

迄今为止的研究表明，恐龙是会育儿的。

慈母龙（Maiasaura），是最早被指出有育儿可能性的恐龙。人们发现的巢穴中，有一些慈母龙幼崽化石，它们的牙齿是有磨损的。学者认为，这是因为父母向巢中的幼崽投喂食物，所以幼崽的牙齿有磨损。"Maiasaura"这个单词的意思就是"好妈妈蜥蜴"。

随后的研究表明，许多恐龙都可能育儿。

"窃蛋龙"的意思是"恐龙蛋小偷"。这种恐龙的化石是在一个有恐龙蛋的巢中被发现的，人们认为它是在偷蛋。然而，这是一个误会，后来发现，它其实是在照顾自己的蛋。这真是一条"瓜田李下"的罪名。远古时期的恐龙，也满怀慈爱之心，养育着孩子。

顺便一提，最近的研究表明，恐龙中的雄性也可能参与孵卵、喂食等育儿工作。早在数十亿年前的地球上，"奶爸"就已经存在了。

哺乳动物的育儿

在一般的科学教科书中，脊椎动物的进化顺序是按照鱼类、两栖动物、爬行动物、鸟类和哺乳动物排列的。但是，哺乳动物并不是由鸟类进化而来的。

哺乳动物也是由恐龙进化而来的生物。其实，哺乳动物的祖先比鸟类更早出现。

然而，哺乳动物和恐龙、鸟类相比，有了剧烈的变化，其中一个显著的差异就是，哺乳动物不产卵，而是直接生产幼儿。

哺乳动物的显著特征是有胎盘，并且在怀孕期间让胎儿在肚子内成长到一定大小（后再出生），并且用乳汁哺育刚出生的孩子。

与只是把卵生下来相比，这种方法是母亲在保护胎儿，直到它们长到一定大小。这种做法可以显著提高存活率。食草动物的妊娠期比较长，会生下长得很大的幼崽。刚刚出生的小鹿，能够马上站起来开始行走，令人啧啧称奇。

哺乳动物会为刚出生的幼儿提供富含营养的母乳。就像这样，进化出了保护幼儿的特征的生物种类，被称为哺乳动物。

育儿是"强者"的特权

虽然鱼类和爬行动物一般是产卵,但其中也有和哺乳动物一样,并非产卵,而是直接生出幼崽的。

不过,它们并不是通过胎盘来孕育胎儿,而是在体内把卵孵化好,然后把已经孵化出来的幼崽生下来。本来是产卵的生物,却像哺乳动物一样生产幼崽,这种分娩方式被称为"卵胎生"。

用卵胎生的方式生产幼崽的生物有鲨鱼和蝮蛇。

不管母亲在肚子里把胎儿保护得多好,如果天敌将母亲吃掉,那孩子也保留不下来。因此,除了像鲨鱼和蝮蛇这种天敌较少的强者,其他的鱼类和爬行生物无法选择卵胎生这种方式。从这个角度来看,能够在体内保护胎儿的哺乳动物,可以说是强大的生物。

当然,哺乳动物也有天敌。在怀有胎儿的妊娠期,哺乳动物也能够逃走或者躲起来,保护自己不受天敌的伤害。正因为如此,胎儿才能够在母亲的体内安心成长。

昆虫的育儿

除了鱼类和爬行动物，昆虫等无脊椎动物中，有一些种类也会育儿。在本书第二部分，我将介绍一种名为"守子蛛"的蜘蛛，和它的名字一样，它是一种会背着小蜘蛛并照顾孩子的蜘蛛。此外，人们发现蝎子、螳螂和负子蝽也会育儿。

蝎子长着毒刺，是一种天敌较少的生物。螳螂可以挥动它的钳子来威慑敌人。负子蝽被称为"田地里的黑社会"，是以捕食蝌蚪和小鱼为生的肉食性昆虫。

会育儿的蝎子、螳螂和负子蝽有个共同特点，它们都是天敌较少的强大生物。

如果父母能够保护孩子，孩子的存活率就会大大提高。其实很多生物都渴望能够自己养育孩子。

然而，由于天敌众多，弱小的生物无法保护孩子。即使父母打算守护孩子，一旦父母被天敌捕食，孩子也会一样被吃掉。因此，它们只能放弃保护孩子，选择只产卵而不养育。

"育儿"，是只有能够保护孩子的强大生物才能拥有的特权。

只有强大的父亲才能育儿

关于"父亲育儿"，可以说也是同样的道理。虽然哺乳动物会育儿，但在大多数情况下，负责养孩子的是母亲。

会养娃的父亲很少。只有那些能够保护家庭的强大父亲，才能够正式地参与育儿。

一般来说，哺乳动物的妊娠期很长，雄性不能辨认生下来的是不是自己的孩子。这就是雄性哺乳动物不进行育儿的原因。

如果雄性在组建群体或获得伴侣时以压倒性的力量赢得了雌性的信任，就可以确信雌性所生的孩子就是自己的孩子。只有这样强大的雄性才会育儿。另外，像草食动物这种经常被当作猎物的生物，就无论如何都没办法养孩子。因此，会育儿的雄性，更常见于天敌较少的肉食动物中。

然而，对于分泌不出乳汁的雄性哺乳动物而言，它们能够在育儿中提供的帮助相对有限。尽管无法像雌性那样哺乳，它们可以保护巢穴，给雌性送去食物，确保雌性有一个能够专心养娃的环境，这些也是育儿的重要方面。此外，雄性还承担着传授生存技能、族群规则等社会性教育的任务。

Chapter
04
进化出了
"育儿"的人类

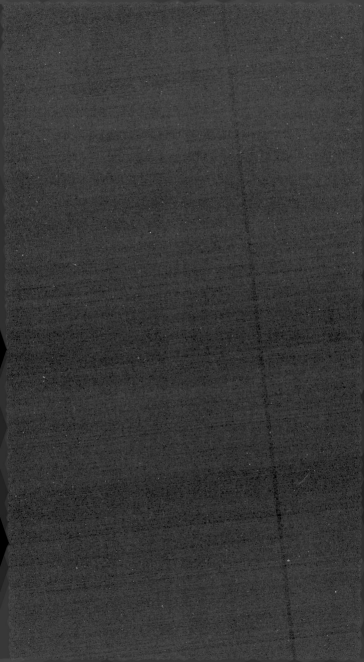

名为"智能"的策略

一旦毛毛虫从卵中孵化出来,它就会吃掉卵壳,然后正确地辨别自己该吃哪种叶子。螳螂宝宝从卵中孵化出来后,也能自己捕捉蚜虫等小型猎物。

这是因为生存所需的信息和行为,已经全部作为"本能",完整地编写成了"程序",在它们身上运行。

那些父母不育儿的鱼类、两栖动物和爬行动物,它们从出生时起就已经掌握了所有生存的本能。无论是取得食物的方法,还是巢穴的建造方法,它们都能够在没有接受任何教学的情况下准确执行。

在生存层面上,"本能"是非常卓越的系统。

然而,本能也有缺点。其中一个缺点是,如果是程序设定外的情况,本能就无法应对。

有时蜻蜓会在即将干涸的水坑上产卵。因为程序仅仅设定了"在水面产卵",没有考虑到"水马上会干涸"的情况。

另外,猎蜂等昆虫在将猎物带回巢穴的途中,即使猎物掉落了,它们仍然会继续飞回巢穴,因为程序没有设定捡起掉落的猎物这个行为。

此外,许多昆虫的程序设定了它们是根据太阳光线来判断上下方向的。因此,它们会将电灯的光误判为太阳光,以此校正飞行方向,最终飞向电灯。

尽管只需要稍加思考,就能对这些情况做出正确判断，但无论在什么情况下，它们都只能沿着本能的程序做出机械化的行为。

因此，为了应对变化，不要实施预定好的程序，而是制定一套新的程序，能够根据具体情况来判断和行动，这怎么样？

这样发展出来的能灵活应对变化的能力就是"智能"。

"智能"的条件

智能也有不足之处。要发挥智能，需要满足特定的条件。

不管状况如何，"本能"都可以机械行动，因此可以预先设定程序。

而使用"智能"的话，根据具体情况，不同个体采取的行动可能会大相径庭。在遇到天敌时，应该逃跑还是躲藏？在没有水源时，应该迁徙还是等待雨水？面对眼前的环境，应该在哪里建巢？这些问题的答案会随情况变化而异，并非只有一个正确答案。但是，行动错误的话，可能会丧命。

因此，对于根据具体情况而做出判断的"智能"来说，需要大量信息和数据。必须要尽可能地像这样输入行为模式的数据：在什么样的情况下，采取什么样的行为，会发生什么样的结果；这样做的话会失败，那样做的话会成功；这是危险的，那是安全的。

对于那些在出生后不久就必须独立生存的生物来说，这是非常困难的，因为在获得"这是危险的""这样会失败"等信息的时候，它们可能已经死亡了。

因此，它们必须学会什么是危险状况，什么是注定会失败的行动。换句话说，只有接受过"养育"的生物才能使用"智能"。

拥有智能的哺乳动物

那么，会育儿的鸟类是什么情况呢？

鸟类不仅具有本能，还具有智能。乌鸦的高智力，是众所周知的吧。拥有智能的鸟类会经常一起玩耍和搞恶作剧。通过反复进行这些尝试，鸟类可以获得智能所需的信息。

然而，鸟类在很多方面仍然依赖本能。

刚刚出生的鸭子和小鸡，会把一开始看到的移动物体认作父母，并跟随其后。这是本能的作用。另外，候鸟能够毫不迷路地飞行，也是依靠本能。

尽管鸟类是会育儿的生物，但鸟类中的父母通常忙于为雏鸟带回食物，没有时间教孩子各种技能。因此，它们无法充分利用"智能"。

相对地，哺乳动物使用通过母乳喂养孩子的系统，不用给孩子运送食物。因此，父母顾得上给孩子传授判断各类状况所必需的知识。

当然，我们哺乳动物也有本能。例如，婴儿刚出生就会吸吮乳房，这就是出于本能。

然而，我们哺乳动物在很大程度上还是依赖智能。从获取食物的方式，到游泳的方法，再到辨别危险，所有这些事情都需要父母教给孩子。如果没有得到教导，孩子们既无法获得食物，也无法在面对敌人时保护自己，基本上无法生存。

哺乳动物的父母责任

对于依赖"智能"的哺乳动物来说，"育儿"不仅仅是保护孩子、喂饱孩子、让孩子长大这么简单。为了发挥"智能"的作用，父母还需要提供必不可少的高质量信息。

哺乳动物一般是由母亲保护胎儿（在母体内），用母乳喂养孩子。然而，有些动物会把教育孩子、传授孩子生存技能的责任交给父亲。

正如在第一章中介绍的，雄性河马通过张嘴的大小来决定胜负，由此避免了不必要的伤害。如果这个规则被打破了，那么负责抵抗敌人、保护族群的雄性河马就可能负伤，进而会影响整个种群的生死存亡。虽然是张开嘴巴这样的小事，然而对河马的未来来说也是非常重要的。因此，必须传授给小河马用张嘴大小来竞争的规则。教导这种男性规则，是父亲的工作。

大猩猩主要由母亲照顾子女，但是孩子也会在父亲身边玩耍，并且学习各种规则。

当然，直接照顾子女的哺乳动物父亲是不多的。

即使雄性不直接参与育儿，它们仍然会保护族群、寻找食物。有了来自父亲的支持，母亲就更有可能进行高质量的育儿。

我只是凭着本能走到了这里。

智能和教育什么的，我能做到吗……

"玩"的重要性

为了学会使用"智能"，孩子需要获得大量的信息。

其中一个获得信息的途径是父母传授。然而，哺乳动物的子女还有另一种方法。

那就是"玩"。

哺乳动物的孩子会一起玩耍、嬉戏打闹，或者欺负其他小动物，模仿捕食行为。通过这些玩耍，它们积累了成功和失败的经验。

哺乳动物的孩子经常玩游戏。它们对各种各样的东西都有兴趣，充满了对体验的好奇心。而且它们喜欢模仿"大人"的行为。

受到父母保护的孩子，即使失败了也没关系，一般不会危及生命。因此，一直到成年之前，它们会努力获取尽可能多的经验和信息。

对哺乳动物来说，"玩耍"实际上是孩子们"学习"生存智慧的过程。

对于人类孩子来说重要的事情

在哺乳动物中，人类是最擅长使用"智能"的动物。

"智能"让人类能够通过处理信息和分析状况，

不断地找到解决方案。人类通过发挥智能，进化出新的生存方式，创造了前所未有的文明和文化。

我们现代人类在不断寻求更高水平的智能。为此，需要吸收大量的信息，学习很多知识。

哺乳动物已经进化了差不多两亿年，通过"输入信息，设置行动程序"的"智能"基本机制没有改变。无论人类进化到什么程度，仍然是一种哺乳动物。

在操作计算机时，需要用到以Windows为代表的OS（操作系统）。通过这种操作系统，计算机可以实现各种功能。大脑为了利用"智能"，会如何构建OS呢？遗憾的是，人类的大脑无法运作OS，因为这项技能必需的内容不是语文或者数学。

人类也只不过是动物界的一员，"智能"是生命为了生存而进化出的系统。为了让"智能"发挥作用，只能从自然中获取最不能缺少的信息。观察世界、倾听声音、触摸物体，通过我们的五感，从自然界中获取信息，这是最重要的。

当然，与野生动物不同，我们人类在世俗中生活，因此需要各种各样的知识。语言和文字是必要的，数学也是必须学习的。道德和社会规则也不能忽视。再加上日益国际化的发展方向，还得学习外语。世界变得越来越复杂，科学技术也在不断进步，需要学习的事物也在不断增加。

然而，我认为在激发"智能"、进行"学习"这点上，最重要的是让孩子在大自然中游玩。

动物的幼崽经常"玩耍"。

玩耍绝不是一件无所谓的事情。自从两亿年前哺乳动物选择了"智能"这一策略以来，这一点从未改变。

名为"育儿"的策略

哺乳动物中，人类是最充分利用"智能"的生物。为了能够利用"智能"，人类需要"学习"。因此，没有比人类更热衷于教育子女的动物了。

总之，人类花在育儿上的时间特别长。

一般而言，野生动物的育儿时间普遍在一年以内，最多也不过几年。在严酷的自然环境中，哺乳动物就算只用一年时间保护孩子，实际上也承担了相当大的责任，有可能付出代价。

在野生哺乳动物中，育儿时间最长的是黑猩猩。黑猩猩用长达五年的时间来养育孩子，一直到孩子能够独立生活为止。

然而，人类的育儿时间更漫长。

毕竟，人类的孩子发育缓慢。学会站立和跌跌撞撞地行走，就需要一年时间，而学会沟通要用的句子，则需要两到三年。要说让五岁的儿童离开父母独立生活，这是怎么都无法想象的。

考虑到从学校毕业需要的时间，人类在育儿上要花费大约二十年。用如此长的时间进行育儿的生物是独一无二的。

正如下一章将详细介绍的那样，人类是以发育不成熟的状态出生的。然而，即便如此，只要在出生后迅速成长的话也行吧。

例如，大熊猫出生时的体重一般是150克。然而，三年后，熊猫就可以离开父母，独立生活。

袋鼠在出生的时候体重仅有1克，身高也只有2厘米，大概就跟一只虫子差不多。袋鼠宝宝会在妈妈的育儿袋中成长，一年内就可以离开父母。

这些动物的怀孕时间较短，这样可以减轻母亲的负担，在胎儿还很小的时候就把它们生出来。尽管这样生下的婴儿还没有发育成熟，但它们不需要花费太长的时间就可以独立生活了。

然而，人类从出生到离开父母独立生活，需要很长时间。事实上，"慢慢成长"也是人类的一种策略。

以"智能"为生存武器的人类，需要学到很多东西才能生存。因此，人类反而会减缓生长速度，让自己不会很快成年。

人类要以"智能"作为生存武器，"育儿"是不可或缺的。因此，"智能"和"育儿"组合起来，共同发展。

人们认为，对于这种"通过育儿发展智能"的策略来说，采用"一夫一妻制"的家庭模式是至关重要的。在下一章中，我们将探讨人类进化中夫妻关系的发展。

Chapter
05
"夫妇"
与"育儿"

"后宫"令人羡慕吗?

人类采取一夫一妻制。

然而,在生物世界中,很多动物不是一夫一妻制,而是"一雄多雌制"。在生物学中,一只雄性带领多只雌性组成的群体被称为"后宫"(harem)。

在哺乳动物中,采用一雄多雌制的例子并不少见。

例如,海豹和海狮就是典型的一雄多雌制生物。

象海豹能达到一只雄性带领一百多只雌性的后宫。

在人类看来,这就好像被一百位美女包围一样。一些男性可能会觉得非常羡慕,但实际情况真的是这样吗?

能够建立后宫的,只有那些实力最强的雄性。因此,雄性必须为了争夺后宫的统治地位而进行激烈争斗。

雄性象海豹的身体巨大,身长超过5米。它们会张大鼻孔,用超过三吨重的巨型身体互相撞击。

即使成功拥有了后宫,也不能高枕无忧。

族群中的其他雄性会接连不断地挑战,争夺后宫的统治地位。其中,有些雄性可能会像"第三者"一样挑逗雌性。每次碰到这种情况,雄性象海豹都必须把这些竞争者赶走。

在水族馆里，海狮和海豹会展现出可爱的样子。可是它们也会因为后宫而激烈争斗，有时会战斗得浑身是血。

守护后宫可谓一项艰巨的任务。

说来令人难过，成功成为后宫领袖的雄性，可能在心理和生理上都非常疲惫，寿命较短。

不仅如此。

一般来说，雄性和雌性的比例是1:1，一只雄性独占了一百只雌性的话，这就意味着，其他九十九只雄性别无他法，只能单身了。

那些建立不了后宫的雄性又会怎样呢？

这些雄性没有机会遇到雌性，它们会聚集在一处，形成只有雄性的群体。然后，它们不会与雌性交配，就这样度过一生。

动物学家称这样的雄性群体为"悲伤之丘"（悲しみの丘）。

如果要羡慕一夫多妻的后宫制度也行，但对于雄性来说，这是一个残酷的系统，需要有相当程度的觉悟。

话虽如此，所谓的男性，还真是一种"可悲"的生物啊！不管赢了还是输了，都太不容易了。

一雄多雌制的优点

虽然一雄多雌制令雄性不好受，但从留下后代的角度来看，其实是一个出色的系统。

雄性独占众多雌性的一雄多雌制，是一场为了争夺留下后代的权力的战斗。

作为群体领导者的雄性，不仅需要强大的力量，还必须具备统领群体、保护群体的能力。统率族群的雄性成为孩子的父亲的话，那么孩子变得强壮的可能性会很高。有了一雄多雌制，很多雌性都可以怀上拥有优秀基因的子嗣。

在赛马界，会用卓越的种马进行繁殖。在肉牛产业中，会使用优秀公牛的精子进行人工授精，培育高品质肉牛。一雄多雌制，实际上也是相同的机制。

提到一雄多雌制时，总感觉这是雄性的梦想。但实际上倒不如说，这是对雌性来说的好机制。

雌性无法同时怀上多个雄性的孩子，因此必须选择尽可能优秀的雄性作为伴侣。虽然雌性的追求者有很多，但不能一眼就看出来哪一只雄性更优秀。

然而，在一雄多雌的机制中，雄性会自发地展开竞争。雌性可以从中选出适合繁育优秀后代的雄性。这是一个多么出色的系统啊。

实行"一夫多妻制"是困难的

那么，为什么没有更多的生物采用一雄多雌制呢？

采取一雄多雌制，意味着雄性必须负责保护整个群体。不仅要防止其他雄性的入侵，在面临天敌袭击时，也必须能够保卫族群。

在拥有许多雌性配偶和孩子的情况下，遭受天敌袭击时，仅仅靠一只雄性，到底能否单打独斗，保卫整个群体呢？

考虑到这一点，除非强大到没有敌人，否则大部分动物是不能采用一雄多雌制的。

典型的一雄多雌制动物有狮子和大猩猩。这两种动物都体格强大，而且没有能够直接威胁它们生命的天敌。还有海豹、海狮和海象，虽然偶尔可能受到虎鲸的攻击，但它们也属于天敌较少的动物。

然而，在食草动物中，有像鹿和野牛这样采用一雄多雌制的动物，尽管它们是很多天敌的捕猎目标。这些食草动物的雄性作为领导者，可以率领族群抵御肉食动物，保护自己。有时它们也会挥动角来战斗。这样强大的雄性，即使是肉食动物，也不会轻易出手。所以，只有那些没有天敌会袭击族群的强大生物，才能采用一雄多雌制，留下优秀的基因。

采用一雄多雌制的动物，通常具有一个特征，即和雌性比起来，雄性体格明显更大，外貌也大不相同。这是因为雄性需要进行激烈的战斗和保护后宫，所以比雌性身体更强壮、体形更庞大。

例如，雄性象海豹的大小是雌性的七倍。在类人猿中，大猩猩是一雄多雌制。雄性大猩猩有雌性的两倍大。另外，雄性狮子有华丽的鬃毛，雄鹿的角也比雌鹿的气派。

另一方面，虽然在平均情况下，人类男性比女性更高大，但不像一雄多雌制动物那样有明显的体格差。

回顾人类历史，可以看到有一段时间存在着一夫多妻制。然而，不好意思，从生物学的角度来看，人类男性并不天生具有可以采用一夫多妻制的特性。

类人猿采用群婚制

一夫多妻制，是一只雄性就能守卫整个群体的强大生物才能选择的制度。

在类人猿中，具有强大力量的大猩猩采用一夫多妻制。

红毛猩猩也采用一夫多妻制。雌雄红毛猩猩有很大的体形差，雄性的体形要比雌性大一倍。正如前文所述，因为要激烈争夺雌性，所以雄性需要变强大。

尽管红毛猩猩采用一夫多妻制，但不像大猩猩那样形成后宫。雄性红毛猩猩和雌性红毛猩猩都是单独行动的。

红毛猩猩主要吃水果。一般来说，大自然中，某个片区水果的数量不够丰富，没有多到足够让一整个族群一起进食的程度。因此，它们很难集体行动。此外，红毛猩猩住在树上，周围没有大型食肉动物袭击它们，因此无须建立以雄性为中心的群体来保护雌性。

然而，为了众多雌性配偶，雄性红毛猩猩必须确保有广阔的领地。据说红毛猩猩的叫声能传到2千米之外。雄性红毛猩猩通过声音来威慑其他雄性，维护领地。

然而，采用一夫多妻制的大猩猩和红毛猩猩，在猿猴类中其实是特例。

其他许多猿猴，如黑猩猩和日本猕猴，选择了不同于一夫多妻制的婚姻形式。实不相瞒，这就是群婚制。

群婚制的优点

"群婚"这个词，听起来相当放荡。

雄性和雌性都没有特定的伴侣，可以与多个不同的异性自由交配。从人类的道德观念来看，会觉得这很混乱，但对于生物而言，最重要的是留下后代，因此，群婚制也是一种优秀的繁殖策略。学术上称之为"多雄多雌的配偶制度"。

雌性黑猩猩在发情时，群体中的雄性可以一个接一个与发情的雌性交配。雌性没有所谓的贞操观念，能够接受一个个不同的雄性。黑猩猩是父系社会，在群体中出生的雄性，永远不会离开族群。因此，雄性之间的关系是牢固的。

与此不同，日本猕猴是母系社会，出生在族群中，有血缘关系的雌性猕猴形成群体，雄性猕猴都是外人。因此，为了维护雄性之间的秩序，制定了一个等级制度。然而，并非只有高等级的雄性猕猴才能交配，没有高等级雄性猕猴的时候，低等级雄性猕猴也可以交配。

为什么会发展出这样的制度呢？

为了保护自己免受敌人攻击，形成群体比独自行动更有利。然而，想要像大猩猩和红毛猩猩那样，仅仅由一只雄性猿猴来保护群体是很难的。为了保护族群，雄性猕猴需要合作。

在这种情况下，如果一只雄性猕猴独占了所有雌性猕猴，雄性之间的团结就会受到破坏。此外，如果雄性猕猴围绕着雌性发生争斗，它们就无法保护群体。

因此，日本猕猴选择了群婚制，任何一只雄性猕猴都可以与任何一只雌性猕猴交配。

群婚制不会有围绕着雌性的争斗，所以雄性不会像大猩猩和红毛猩猩那样，体格变得特别庞大。黑猩猩与日本猕猴的雄性和雌性之间几乎没有体形差异。

人类可以采用群婚制吗？

与黑猩猩、日本猕猴一样，男人和女人之间也几乎没有体形差异。

据说，人类与黑猩猩有很近的亲缘关系。

可能有人持这样的观点：在过去，人类也采用了与黑猩猩相似的群婚制。而现在，人类只是因为道德约束，所以采用一夫一妻制。

然而遗憾的是，事实并非如此。

在群婚制下，雄性不会因为争夺雌性而发生冲突。乍看之下，这样似乎能够维持和平。然而，在一个接一个进行交配的群婚制中，要想留下自己的基因并不容易。

因此，采取群婚制的猿猴有一个特征，那就是有较大的睾丸。它们通过这种方式，尽可能多地将精子注入雌性猿猴的体内。

据说，采用群婚制的猿猴睾丸重量占体重之比为0.2%~0.8%，而人类为0.06%。这怎么也不能说是具有群婚制的特征。

从睾丸的大小来看，人类不应采用"一夫多妻制"或"群婚制",而原本就该是"一夫一妻制"。

"家庭"的确立

人类的进化从非洲的草原开始。原本在树上生活的人类,来到地面,进入草原,于是面临来自肉食动物的威胁。

大猩猩采用一雄多雌制,由一只雄性保护群体。与这样的动物相比,人类是一种脆弱的生物。独自一人的话,怎么样都无法生存。因此人类必须建立社群,进行集体生活,这样才能应对外敌的威胁。

为了在非洲草原上生存下去,人类开始狩猎。与其他野生动物比起来,人类的奔跑速度很慢,力量很弱,很难猎杀体形大的动物。因此,人类必须团结合作。

为了加强雄性之间的团结,黑猩猩和日本猕猴选择了群婚制。然而,人类选择了一种与群婚制不同的策略。

这就是"一夫一妻制"。

一旦一对异性成为伴侣,群体内部关于雌性的竞争就会减少,这是不争的事实。因此,雄性之间能够实现共同合作。

其实,一夫一妻制在古猿中也有出现。古猿在广阔的领地内实行一夫一妻制,领地由夫妻共同管理。

只有猿猴夫妻俩生活在同一个领地中，因此自然而然就能决定配偶。想要"搞外遇"，就意味着要离开领地，这个行为非常危险。

尽管人类过着集体生活，却还是选择了一夫一妻制。

这是因为人类通过高水平的沟通能力，在集体中建立了"家庭"这个小单元。

选择了一夫一妻制的人类

选择一夫一妻制给人类带来了巨大的好处——父亲协助育儿。

在群婚制下，雄性不知道雌性生的是不是自己的孩子。如果是一夫一妻制，妻子所生的孩子，有很大的可能性是丈夫的亲生孩子。因此，男性会积极养育孩子。

其实，与其他动物相比，人类的孩子更需要父母的照顾。

这与人类开始直立行走有关。

首先，通过直立行走，人类将"智能"变为了可能。

人类的祖先将身躯直立了起来，这样一来，嘴巴到喉咙的通道就从横向变成了90度弯曲的结构。这一变化导致食道和气管"合流"在一起。一些动物的食道和气管是分开的，所以它们可以在进食的同时呼吸。然而，人类如果在呼吸的时候吃东西，必须来回切换使用气管和食道。这种复杂的控制呼吸行为促进了大脑的发展。此外，喉咙结构的变化让人类可以发出复杂的音节，促进了语言的发展。因此，这进一步催生了大脑的进化。

然而，直立行走也有坏处。为了支撑体重，人类骨盆的形状发生了变化，产道变得狭窄。正因如此，人类分娩比其他动物更难。

为了让婴儿通过狭窄的产道，人类不得不在婴儿未发育成熟的状态下就把他们生下来。因此，人类的婴儿刚出生时，什么也看不清，也没办法行走，如果没有父母的保护，就什么也做不了。

养育发育不成熟的孩子的能力

直立行走对人类的育儿行为产生了很大的影响。

人类婴儿非常脆弱，在没有父母保护的情况下无法生存。

不过，成年人类拥有足够的能力来抚养脆弱的婴儿。

母亲每时每刻都需要照看刚出生的婴儿。不过可以直立行走后，母亲的双手得到了解放，可以一边抱着婴儿喂奶，一边行走。

此外，由于采用一夫一妻制，丈夫也能协助育儿。

草原的生活是艰苦的。生下来发育不成熟的婴儿，就更艰苦了。与其像其他动物一样不断地与不同伴侣生孩子，还不如小心养育妻子所生的孩子，这样更有利于留下自己的后代。

当然，与现代的魅力"奶爸"不同，远古时期的男性并不会照顾孩子。不过，他们可以将食物送到女性身边，使女性能够专注育儿。

此外，通过直立行走而变得发达的大脑，展现出了"智能"，为了充分发挥"智能"，家长需要向孩子传授许多东西。

人类之所以成为人类，原因在于"直立行走"和"发展智能"。然而，这两者都只有通过"一夫一妻制"和"育儿"，才得以实现。

合力"育儿"

因为婴儿还没发育成熟，而且育儿需要的时间非常长，所以人类不能频繁迁徙，被迫定居下来。

女性留在家里照顾孩子，而男性则开始远行、打猎以获取食物。

正如前文所述，通过一夫一妻制，人类男性之间不再发生争斗，他们开始合作。

然而，以群体为单元进行合作的并不只有男性。

　　当男性外出狩猎时，女性们会协作劳动，采集水果和种子，照顾孩子。这样一来，可以一边抚育照顾孩子，一边让孩子学习大量生活所需的信息。

　　"育儿"原本是女性的工作，但母亲并不应该独自承担这一责任。这是一项需要集体合作的任务。

　　在定居点的共同生活，使女性的社交能力得到发展。这就是所谓的"八卦聊天"。闲聊看似毫无意义，但其实是一种智慧，能让女性们在同一个场所实现和平共处的群居生活。

　　另一方面，在打猎时，男性的交流是必需的，可蹲守猎物时需要努力保持安静。因此，一些人认为男性不会说废话。喜欢无意义对话的女性，和不想听无意义对话的男性，从进化的角度看，无法互相理解也是正常的。

拴住男性的"女性的进化"

　　黑猩猩居住在食物丰富的森林中，所以雌性黑猩猩在照顾幼崽的同时也能收集食物。

　　如果人类像黑猩猩一样选择了群婚制，那么在食物稀缺的草原上，仅靠雌性单独带领幼儿是无法生存下去的。而且，人类的幼儿是在发育不成熟的状态下出生的，一边抱着不成熟的婴儿，一边还要不断哺乳，怎样都无法收集食物。

因此，在没有男性协助的情况下，女性无法生存。

故而一些人认为，女性进化出了一种用于吸引男性的特性。

许多哺乳动物都有发情期。例如，日本猕猴每年有一次发情期，通常在秋季。发情期间，雌性日本猕猴的臀部会变得红肿，引诱雄性日本猕猴进行交配。在非发情期，雌性通常不会与雄性交配。

黑猩猩居住在几乎没有季节变化的热带地区，发情期较短，每月都会有一次发情期。发情期间，雌性黑猩猩的臀部也会变成粉红色，以引诱雄性。

动物中的雌性在发情期时，会向雄性发出进行交配的信号，但是人类女性在排卵期时没有任何明显的迹象。如果发情期明确，交配时间确定，男性可能只会在女性的发情期回家。如果交配时间不确定，男性会一直向女性求欢，并守护女性免遭其他男性的侵犯。换句话说，为了维持家庭的牵绊，女性延长了发情期，并掩盖了发情的迹象。

就这样，人类发展出一夫一妻制。

年轻女性受欢迎的原因

女性的进化不仅局限于此。

女性在变老后会绝经，失去生育能力。这种绝经行为是其他动物没有的。

生物为了繁衍而生存。通常情况下，生物会不断繁殖，直至死亡。而且，失去繁殖能力的个体会结束自己的生命。

男性即使年老后也能继续产生精子。

然而，女性会绝经，失去生育能力。为什么人类会进化出"绝经"这一特质呢？而且为什么人类女性在绝经并且失去生育能力后，仍能长久地活下去呢？

人的喜好是多种多样的，但一般来说，男性更喜欢年轻的女性。虽然说喜欢年轻的女性似乎是理所当然的，但如果观察一下自然界，会发现情况并非如此。

例如，在黑猩猩和日本猕猴等采用群婚制的猿猴中，雄性就不喜欢年轻的雌性，而是更倾向于年长的。群婚制下，猿猴的伴侣关系不稳定。与夫妇合作育儿的一夫一妻制不同，群婚制的特点是雌性负责育儿。因此，已经经历过多次生产和育儿的雌性，比起经验较浅的年轻雌性，有可能更好地生育和抚养孩子。因此，经验丰富的猿猴"熟女"更受青睐。

但是，人类生活在集体中，并且集体养育孩子。

因此，虽说是年轻女性，育儿失败的可能性是比较低的。虽然生下来的婴儿是不成熟的状态，但是为了发展智能，要教给孩子很多东西，所以人类的育儿期非常长。因此，年轻女性生育和抚养孩子的机会也变得更多。

人类通常采用一夫一妻制，比起和年长的女性结婚，与年轻的女性结婚会有更多生育的机会，从而可以留下更多的后代。从生物学的角度来看，这就是男性更喜欢与年轻女性结婚的原因之一。年轻女性被视若珍宝，是有一定的合理性的。

育儿时间太长，对女性来说是一个大问题。

如果一个女性，在抚养完一个孩子之后，才开始怀第二个孩子，那她在一生中就不能留下许多后代。然而，由于女性通常合作照顾孩子，即使要同时照顾婴儿和幼童，育儿仍然是可行的。因此，人类选择集中在年轻的时候生育多个孩子。

由于育儿期较长，如果女性上了年纪才生孩子的话，很可能无法抚养孩子。此外，由于直立行走，人类的产道变得狭窄，生产的风险很高，甚至可能会因此丧命。在已经养育了许多子女的情况下，没有必要特地冒着生命危险继续生孩子。因此，人类一旦上了年龄，就会为了阻止生育而绝经。

进化出的"祖母"

许多生物，在留下后代后生命就结束了。而需要养育子女的生物，为了照顾孩子，寿命会变得更长，但一旦子女可以独立生存，它们的生命也结束了。

然而，人类在完成育儿后，寿命并不会立即结束。为什么人类能够长寿呢？完成育儿的人类，是不是就没有其他生物学上的任务了？

由于人类的育儿期很长，绝经后的女性，仍然可以承担重要的带孩子任务。因此，即使失去了繁殖能力，女性还能继续生存。

有一种学说认为，女性在绝经后仍可以继续生存，对人类的进化具有非常重要的意义，这就是"祖母假说"。

女性达到一定年龄后，不再进行繁殖。子女变成了大人，开始生育孩子。这样的话，对于已经不能生育的年长女性来说，照顾孙辈这件事，就和延续后代紧密联系在一起。人们认为，正是出于这个原因，绝经后的女性会帮助年轻的子女照顾孙辈。

会抚育孩子的生物，因为有育儿的任务，所以寿命变长了。女性为了照顾孙辈，寿命又进一步变长。

因为有经验丰富的女性存在，育儿技能、食物采集方法和烹饪技巧等各种各样的生活智慧，都能够教给子女和孙辈。祖母的存在，提高了孩子的生存率，对人类文化的飞跃发展做出了重要贡献。

"奶爸"的登场

"奶爸"在育儿上的参与给人类带来了什么呢?

以前的男性也并非完全没有参与育儿。但是,积极参与育儿的男性开始以"奶爸"这个称呼被社会接受,其中有一些背景。

首先是男女分工的变化。在以前,男性出外狩猎,女性留在居住地照顾孩子。之后,男性在外工作,女性守在家里,形成了角色分工。然而,现代女性也成功进入社会中,在外面工作。另外,对于男性来说,被迫去狩猎或战斗的时代早就结束了,可以回家做家务了。

人类原本是以集体模式共同育儿的。虽然现在不算是集体育儿了,但直到最近还是有祖母和一些邻居帮助育儿。近年来,家庭开始变得更加独立,已经是夫妇必须独自照顾孩子的时代了。在这样的情况下,父亲成为"奶爸",可以说是理所当然的。

现代社会参与育儿的父亲,谁都不熟悉这个任务,都在这场"恶斗"中苦战。

然而,父亲参与育儿这件事,不是只有人类才会做。从自然界的角度来看,早在人类创造"奶爸"这个词语之前,参与育儿的雄性动物就很多了。绝不是只有人类中才有努力育儿的父亲。

那么，生物"奶爸"到底是如何进行育儿的呢？在本书的第二部，我们将一窥这些雄性生物在育儿中的奋斗。

这张我看不懂的
名片是什么？

……

它和我们人类进化的历史
有着深刻的关联……

第二部分

向超级奶爸学习

Chapter
06
鱼类的育儿

大部分种类的鱼，产卵后就不再抚养孩子，但也有一些鱼会照顾鱼卵和小鱼。

　　进行育儿的鱼类，多数居住在淡水中或沿岸的浅海里。如果是在广阔的海洋中产下大量的鱼卵，无论怎样都可能存活一部分。在河流和池塘等淡水区域，或沿岸的浅海等地产卵，很有可能遇到以鱼卵为捕食目标的天敌。因此，有父母的保护，小鱼的存活率才能提高。

　　奇怪的是，在鱼类中，雄性育儿的情况非常普遍。

　　为何雄性鱼类会进行育儿，其原因尚不明确，但有以下推测。

　　鱼类会一直生长，年龄越大，身体就越大，相应的产卵数量也会增加。这意味着，雌性与其费力照顾孩子，不如用这份力量来增加产卵的数量。因此，雄性是在代替雌性进行育儿。

　　　　　　　　　　　　　Chapter 06 鱼类的育儿

另一种观点是，雄鱼占据着领地，吸引雌鱼来交配。所以在领地内产下的卵，应该由雄性保护。

另外，鱼类采用体外受精，雌鱼先产下卵，然后雄鱼释放精子，使鱼卵受精。因此，遗传学专家理查德·道金斯指出，鱼卵的最终所有者不是雌鱼，而是使之受精的雄鱼。这样，对于父亲来说，受精卵毫无疑问是与它血脉相连的孩子。

如果这样的话，鱼卵作为爱的结晶，是生下来就不管了，还是被精心照顾，那就由父亲决定了。

接下来要介绍的鱼类，就是在以上选择题中选择了"照顾孩子"的父亲。

刺鱼：
诚实、认真又勤勉的雄性备受欢迎

刺鱼是刺鱼科鱼类的总称。在日本，人们熟知的有三刺鱼和小头棘鱼等品种。顾名思义，这种鱼类的特征是背鳍呈刺状。

刺鱼科的鱼类都以雄性育儿而闻名，并且有很多研究资料。

刺鱼的生活状态非常有意思。致力于研究刺鱼生态的尼可拉斯·丁伯根，还以对刺鱼本能行为的研究而获得了诺贝尔奖。

雄性刺鱼建立领地之后，会在水底用水草建造巢穴。巢的完成效果决定了雌性刺鱼是否会前来，所以雄性刺鱼对建造巢穴毫不马虎、精益求精。

巢穴建好之后，一旦雌鱼靠近，雄鱼会一边做出求爱的动作，一边时不时地向雌鱼炫耀自己的巢穴。因为如果雌鱼不喜欢雄鱼的巢穴，就不会产卵。

雄性还会做出奇怪的动作——颤动身体，用鳍把水送入巢中。雄鱼为什么会有这样的行为呢？

实际上，这是雄性育儿的动作。雄鱼会装作若无其事的样子，向雌鱼宣传自己：我可是个会照顾孩子的好爸爸哦！

雄鱼的任务不仅仅是保护巢中的卵。时不时地，雄鱼会用鳍向巢中送入新鲜的水。这样可以向鱼卵提供氧气。不同的雄鱼，育儿的细致程度不一样，有的雄鱼会细心地送水，而有的雄鱼则可能注意不到该送水了。显然，由认真的雄鱼悉心照料的鱼卵更容易孵化，所以对于雌鱼来说，选择育儿技能高超的雄鱼是很重要的。

对于要把鱼卵托付出去的雌鱼而言，重要的不是雄鱼强壮的体形或美丽的外表。雌鱼会仔细观察用来保护鱼卵的巢穴的建设情况，雄鱼的育儿动作，谨慎地判断是否要在这儿产卵。虽然选择优秀的雄鱼来留下优秀的后代很重要，但如果雄鱼不能好好地育儿，那孩子也活不下来。

如果雌鱼满意了，它会在巢穴中产卵。然后，雄鱼会释出精子，使鱼卵受精。

雄鱼会多次做出求爱行为，接连将不同的雌鱼迎入巢中，增加受精卵的数量。

女性可能会这么想："忍不了他去追求其他女性。"

然而，刺鱼的世界是不同的。

如果巢穴中已经有了许多鱼卵，这意味着其他雌鱼也选择了这条雄鱼。仅凭自己来判断的话，雌鱼可能会感到不安，但如果其他雌鱼也选择了这条雄鱼，那么自己的眼光也是可靠的。因此，巢中已经有鱼卵的雄鱼，更容易受到雌鱼的青睐。

在这种情况下，第一次追求雌鱼的"初婚"雄鱼是很不容易的。小头棘鱼为了证明自己备受欢迎，甚至会偷其他巢穴中的卵放到自己的巢穴里面。尽管这样做意味着必须照顾其他鱼的孩子，它们也一定要展示出自己擅长育儿。

钩头鱼：
雄鱼的额头有育儿器官

有一种被称为"育儿鱼"的鱼。

这种鱼生活在澳大利亚等地，栖息在红树林中水流和缓的河里。它的英文名字是"Nurseryfish"，意思是"会照顾孩子的鱼"。

虽然还有育儿蛛、育儿蛙等名字中也有"育儿"两个字的生物，但很可惜，它们都是由母亲来照顾孩子的。然而，钩头鱼是一种由父亲进行育儿的鱼，"奶爸"指数十足。

顺便提一下，在鱼类中还有一种"育儿鲨"。遗憾的是，育儿鲨并不会照顾孩子。鲨鱼母亲在体内孵化卵，生出小鲨鱼，采用卵胎生的方式繁衍。育儿鲨也是卵胎生，从这个意义上可以说育儿鲨母亲在保护鱼卵，但不是在生产后还照顾孩子。因此，不能说它在真的育儿。

虽然钩头鱼的育儿时间是从生出鱼卵到鱼卵孵化出小鱼这段时间，但从保护鱼卵这方面来说，作为鱼类，它展现出了出色的育儿能力。而且，钩头鱼是由父亲负责照顾孩子的。

会育儿的雄鱼，大多会将孩子放在口腔中进行照顾。对于没有手脚的鱼类来说，把孩子放在嘴里是最简单的保护手段。

然而，钩头鱼不一样。它特意"准备"了用来育儿的器官。

观察钩头鱼时，可以看到一些鱼的额头部分有凸起物，有这些凸起的就是雄性，而没有凸起的是雌性。

这些凸起骨骼的变形。在繁殖季节，雄鱼的凸起物会发育，雌鱼会在雄鱼的凸起物上产卵。雄鱼会将

　　　　　　　　　Chapter 06 鱼类的育儿

成堆的鱼卵像葡萄串一样挂在凸起物上，精心保护，直至鱼卵孵化。

钩头鱼生活在和缓且混浊的水域中，几乎不怎么游泳，也不频繁捕食。这样的话，其实它在口中育儿就可以了，但它还是特意将卵挂在体外游动。从这点来看，或许钩头鱼已经意识到成为"奶爸"也是一种时尚。

七彩神仙鱼：
能够让人观察到暖心育儿场景的热带鱼

原产于南美的七彩神仙鱼，育儿方式也非常有趣。

七彩神仙鱼作为观赏用的热带鱼而声名在外，因其美丽的色彩被誉为"热带鱼之王"，人气很高。然而，它受欢迎的原因，并不仅仅是外表。

实际上，七彩神仙鱼的人气，在很大程度上是源于它们温馨到令人微笑的育儿方式，许多人因此而饲养它们。

七彩神仙鱼夫妻会共同筹备产卵的场所，一起保护鱼卵，不管什么工作都一起出力解决。在鱼卵孵化后，七彩神仙鱼会发挥育儿的看家本领。

鱼类的育儿工作一般是保护小鱼不受天敌的侵害，很少涉及喂食。由于父母与幼鱼的体形差异巨大，需要的食物大小也会不同——给幼鱼喂食实在是太难了。

然而，七彩神仙鱼可以喂养自己的孩子。无论是雌性还是雄性，七彩神仙鱼都可以从身体两侧分泌一种称为"七彩神仙鱼乳"的分泌物。随后，幼鱼会靠近父母，吃下这种"乳汁"，吸收营养。

鱼类进行哺乳，是一种独特的现象，尤其是哺乳的不只是雌鱼，雄鱼也参与其中。这是相当罕见的。

孩子依偎在父母身边的场景，暖心得让人会心一笑。而且，雄性和雌性会轮流照顾孩子、轮班去吃饭。

养七彩神仙鱼的人说，正是为了观赏到这一景象才选择饲养它们的，这说得一点也不夸张。

尽管七彩神仙鱼的家庭非常和睦，但有时雄鱼和雌鱼也会为了孩子而争风吃醋。暂且不论夫妻关系如何，七彩神仙鱼对于照顾孩子可谓专注入迷。

小丑鱼：
雄性变性后产卵的"怪"鱼

《海底总动员》是孩子们很喜欢的迪士尼动画电影，主人公是小丑鱼马林和它的儿子尼莫。电影讲述了小丑鱼尼莫被潜水员带走，它的父亲马林费尽千辛万苦，拼死寻找它的故事，充满着父爱。

与电影一样，小丑鱼是由父亲照顾孩子的。雌性小丑鱼会产卵，但并不会照顾。相反，雄性会将鱼卵放入口中，守护它们。而且，即使小鱼孵出来了，在小丑鱼宝宝还很小的时候，雄性仍然会用嘴保护它们免受天敌的威胁。真是一种父爱满满的鱼啊。

而且，小丑鱼是一夫一妻制，它们会一直和伴侣生活。

此外，小丑鱼有一个奇特的身体。小丑鱼在出生时都是雄性。但是只有第二大的那条，才会变成可以繁育后代的成熟雄性，然后与雌性结成伴侣。

然而，有一件事很奇怪。我刚才说，小丑鱼出生时都是雄性。这样的话，不就没有雌性了吗？

事实上，小丑鱼中最大的个体，会从雄性变性为雌性。尽管在出生时是雄性，但随着时间的推移，它会转变为雌性，并开始产卵。也就是说，小丑鱼中最大的雄性个体，会变成雌性，而剩下的雄性中最大的那条，将成为成熟雄性。

虽然有"一决雌雄"的说法，但对于小丑鱼而言，是雄性与雄性比拼体形大小，赢得比赛的一方将变成雌性。

雄性只需要制造精子就可以了，而雌性拥有大体形的话，可以产下更多的卵。让体形最大的那条鱼"担任"雌性，实际上是非常合理的选择。

为什么小丑鱼不像其他生物一样，在出生时就分为雄性和雌性呢？

小丑鱼与具有毒性的海葵形成共生关系，在生活上受到海葵的保护。小时候，小丑鱼过着漂流的生活，一旦找到合适的海葵，就会定居下来，不再从海葵里出来。所以，雄性小丑鱼和雌性小丑鱼几乎没什么机会碰面。另外，如果小小的海葵里住的只有雄性，或者只有雌性，又或者雄性为了争夺雌性而争斗，这都会使它们难以留下后代。因此，最大的那条小丑鱼会变成雌性，第二大的那条会成为雄性，形成能够繁殖的夫妻关系。

如果雌鱼死亡，负责繁殖的成熟雄鱼会变性，成为雌性。然后，在未成熟的雄鱼中，最大的那条将拥有繁殖能力。

在电影《海底总动员》的开头，尼莫的母亲因梭子鱼袭击而丧生。这是一场不幸的事故。尼莫的父亲虽然表现出如此深沉的父爱，但离它变成雌性的日子也不远了。

海龙：
通过育儿的动作向雌性宣传自己

雄性海龙有与众不同的特征。在它们的腹部有一个袋子，被称为育儿袋。这有点类似于袋鼠的袋子。袋鼠是在雌性的袋子里育儿，而海龙则是在雄性的袋子里照顾孩子。

雌性海龙会在雄性海龙的育儿袋中产卵。随后，雄性会用袋子好好保护鱼卵。不仅如此，它们可以通过特殊的血管，不断向鱼卵提供营养和氧气，就和怀孕一样。幼鱼孵化后会从育儿袋中生出来。

雄性海龙把尾巴卷成团，绑在海草上，这样可以固定身体，防止被海浪冲走。与其他游来游去的鱼相比，雄鱼和雌鱼相遇、生子的机会很少。因此，雄性海龙非常珍视与雌性的相遇，会全心全意地养育雌性产的卵。

然而，有一个问题。按理说想要精心照顾后代的心理，雌性也应该有。那么，为什么雌性海龙不参与育儿呢？

海龙在日语里叫"杨枝鱼"，因为它细长的身体像杨柳枝一样。这种细长的身体，使其能够伪装成像大叶藻那样纤细的水草，从而将身体隐藏起来。

然而，这种细长的身体也有缺点。因为雌性海龙是用这种细长的身体生产鱼卵。为了尽可能多地产卵，它们几乎没有什么多余的精力育儿。因此，雄鱼进化出了育儿袋。

就这样，因为雄鱼承担起了育儿责任，雌鱼才能够多次产卵。然而，雌鱼产卵次数太多的话，照顾孩子的雄鱼就不够了。所以，在海龙的世界里，雌鱼会争夺雄鱼，雄鱼可以从众多候选者中选择心仪的对象。

雄性和雌性的角色发生颠倒，这是因为雄性海龙承担了育儿的责任。对生物来说，育儿是一项艰巨的工作。那些愿意承担育儿责任的个体，在生物界中备受欢迎。

海马：
由雄性怀孕和生产的鱼

阿诺·施瓦辛格主演的电影《魔鬼二世》是一部喜剧片，讲述了一位男性科学家由于实验导致意外怀孕的故事。

当然，这部电影是虚构的，不过，节目"父亲教室"中，安排了一些给爸爸的体验课，让他们系上重物，感受孕妇的辛苦。

男性怀孕这件事，确实会让人觉得奇怪。然而，在自然界中存在一些雄性生育的例子。

比如海马。

雄性海马的腹部有一个育儿袋。我之前介绍的海龙也有育儿袋，但海龙的育儿袋是发育不完全的，而海马拥有一个发育完全的育儿袋。

雌性海马将阴茎状的输卵管插入育儿袋中，在育儿袋中产卵，这些卵还没有受精。未受精的卵会在育儿袋中受精。接收到卵的雄性海马会摆动身体，把卵

93

稳定在腹部。因此，海马的卵是在雄性的腹内被注入生命。换句话说，海马是由雄性怀孕的。

育儿袋是完全封闭的，雄性海马会把卵放在腹中孵化。令人惊讶的是，育儿袋中的卵也可以得到氧气和营养物质的供应，就和哺乳动物的胎儿一样，通过脐带获取氧气和营养物质。

一旦卵孵化了，小海马将从雄性海马的腹部"生"出来，看起来就像是真正的分娩。

海马的育儿袋完全就是袋状的，开口很窄，所以分娩也并不轻松。在分娩之前，雄性会像经历着阵痛一样，扭动或弓起身体，看起来非常痛苦——确实是"分娩之痛"。随后，上百个小海马出生了。由于小海马数量众多，分娩不会立即结束。据说，有时候需要好几天才能生下所有的孩子，分娩过程真是相当辛苦啊！分娩结束后，雄性的腹部会瘪下去。

雌性海马的身体，是用来尽可能多地产卵的。因此，育儿所需的空间就由雄性的身体来提供。

与海龙类似，不怎么游动的海马也非常珍惜与伴侣难得的相遇，实行一夫一妻制。

海马夫妇之间的关系非常好。即使在雄性怀孕期间，雄性和雌性也一定每天见面约会一次。

海马夫妇为什么每天都约会呢？它们真的不会出轨吗？

之前有过一个有点坏心眼的实验，就是给海马夫妇各自分配了一只单身的海马，但海马夫妇看都不看单身海马一眼，继续与自己的伴侣约会。

实际上，海马夫妇是通过每天的见面，调节卵的成熟时间。这样可以协调好分娩的时间和卵成熟的时间，当雄性完成分娩后，雌性就会立即产卵。这么做的话，夫妻俩可以一次又一次地反复生娃。这种心有灵犀般的默契行为，只有在夫妻之间才能实现，和其他单身的海马是做不到的。因此，海马实行忠贞的一夫一妻制，同甘共苦，白头到老。

长久相依的海马夫妇，在日本传统文化中被视为百年好合的象征。

此外，由于海马可以从肚子里不断生出孩子，因此它还被用来当作怀孕和顺利生产的护身符。

然而，与人类不同，生孩子的是雄性海马。古人可能无法想象到这一点吧，竟然是海马父亲辛辛苦苦地分娩。

　　　　　　　　　　　　Chapter 06 鱼类的育儿

Chapter
07
两栖动物
的育儿

进行育儿的两栖动物相对较少。

正如其名"两栖",两栖动物是在水中和陆地两种环境中生活的生物。青蛙、蝾螈和山椒鱼等两栖动物,在幼年时以蝌蚪的形态在水中生活。一旦长大,它们就会离开水域,在陆地上生活。这么说的话,两栖动物的孩子和"大人"居住在不同的地方,因此很难进行育儿。

然而,尽管面临这样的问题,蛙类中还是有一些会照顾孩子的种类,而且是由雄性负责的。

父母和子女分别居住在陆地上和水中这两种不同的环境,究竟要如何一起生活呢?以及雄性两栖动物又是如何进行育儿的呢?

负子蟾：
过度保护孩子，
把孩子放在背上照顾的蛙

"蛙"如其名，负子蟾是一种将孩子背负在背上进行照顾的"育儿蛙"。

负子蟾的身体是扁平的，用扁平的身体伪装成水中漂浮的树叶，主要生活在南美的河流和池塘中。负子蟾会一边张开前肢，上上下下地漂着，一边捕食水中的小鱼和昆虫。

虽然负子蟾属于两栖动物，但它们从不上岸，一生都在水中度过。所以，它们能够抚育自己的孩子。

蛙类普遍是雄性负责育儿，但遗憾的是，负子蟾由雌性育儿。不过，雄性负子蟾也在育儿中承担着重要的工作。

雌性负子蟾背部平坦，上面密布着卵。

然而，产卵的是雌性自己。雌性是如何将卵产到自己背上的呢?

其实，在负子蟾的生育过程中，雄性的协助是不可或缺的。

雄性负子蟾会从后面紧紧抱住雌性负子蟾，一起在水面和水底之间像翻跟头一样反复翻滚。当它们靠近水面变成仰泳姿势时，雌性会在雄性的腹部上产卵。之后，它们会一边翻转回到原来的位置，一边让卵受精，同时，雄性会将受精卵压在雌性的背部。

雌性负子蟾的背部像海绵一样柔软，卵可以嵌进去。就这样，它们一边不停地翻转，一边使卵受精，然后埋在雌性的背部。大约会翻转十五次，最终雌性的背上会埋有差不多一百个卵。

很可惜，雄性的协助仅限于此。之后，雌性将背负着卵，独自抚育孩子。

令人惊讶的是，这些卵会逐渐与雌性负子蟾的背部融为一体。

负子蟾对孩子的照顾不仅限于保护卵，当小蝌蚪从卵里孵出来之后，也还像在卵内时一样，在雌性的背部组织中生活。就这样，在母亲的背部度过三四个月后，这些孩子会长成小负子蟾，然后从雌性的背部跳出来，就像是刚孵化出来一样。

在长大成年之前，负子蟾母亲都会背着孩子。

真是种对孩子过度保护的蛙类啊！

产婆蟾：
守护卵的雄性，看起来就像产婆

除了"负子蟾"，还有一种叫作"产婆蟾"的蛙类。

产婆就是助产士，在过去，产婆不仅帮助分娩，还负责看护新生儿。产婆蟾之所以像"产婆"，是因为它会护理生下来的卵。

然而，实际上并不是雌性在保护卵，而是雄性产婆蟾。那种勇敢保护卵的样子，可能不符合以前的父亲形象，因此就用"产婆"来比喻。

产婆蟾分布在欧洲，是一种栖息在池塘和小溪的蛙类。

当雌性产婆蟾产下透明的管状卵块时，雄性会将卵块缠绕在腿上。雄性的皮肤会渗出分泌液，使卵保持湿润，用来保护卵的安全。

在产婆蟾栖息的池塘和小溪中，有许多吃蛙卵的天敌，所以不能将珍贵的卵随便留在那里。在卵孵化之前，雄性产婆蟾会把卵缠在腿上。

产婆蟾的背上有疙瘩，能够分泌毒液，以保护自己。如果产婆蟾没有任何武器，别说保护孩子了，整个家族都可能被天敌全部吃掉。

产婆蟾之所以能够保护卵，是因为它拥有强大的武器，可以抵御天敌。

雄性产婆蟾会时不时地把卵浸泡在水里，防止卵变干燥。

卵孵化需要一个月左右的时间。当卵要孵化时，雄性产婆蟾会待在水边，将小蝌蚪放入水中。

箭毒蛙：
背着小蝌蚪的蛙爸爸

居住在南美洲的箭毒蛙，是一种可以提取毒液，用于制作毒箭的蛙类。

箭毒蛙体形很小。箭毒蛙科中的许多蛙类，都有有毒的皮肤。这种毒比河豚还要强烈，十分厉害。箭毒蛙用这种剧毒来保护自己。

箭毒蛙有250多个品种，都有鲜艳夺目的颜色，一看就毒性十足。如果它们用保护色来隐藏自己，就会和其他的蛙类混在一起，可能被天敌"误食"。因此，拥有毒液的箭毒蛙，"故意"让自己看起来很显眼，向作为天敌的鸟类发出警告："有毒，勿食。"

许多具有毒性的生物，都用警告色来自我保护。作为天敌的鸟类很聪明，可以记住警告色隐含的危险。采取用毒液自卫的方式，实际上是在利用天敌的聪明头脑。

箭毒蛙有毒，且不会轻易被捕食，是一种会育儿的蛙类。能抚养子女，可以证明父母的强大。如果父母弱小的话，自己都会成为天敌的食物，就不可能保护得了孩子。

在两栖动物中，有很多父亲负责育儿的例子，雄性箭毒蛙也不例外。一旦蛙卵孵化成蝌蚪，箭毒蛙父亲会把小蝌蚪背在背上。

而在众多箭毒蛙中，网纹箭毒蛙是一种由夫妇共同参与育儿的罕见种类。夫妇能够共同参与育儿，在全世界的蛙类里都没有几种。

那么，这种蛙类夫妇是如何育儿的呢？

网纹箭毒蛙生活在几乎没有水源的地方，因此，雌蛙不是在水中产卵，而是在植物叶子之类的地方产卵。然后，在卵孵化出来之前，雄蛙的工作就是守护着蛙卵，防止它们被虫子吃掉。

一旦卵孵化了，网纹箭毒蛙爸爸会背着小蝌蚪移动，寻找积了一点雨水的小水坑，并把小蝌蚪放到水中。整个育儿过程主要是雄蛙的工作。那么，雌蛙在做什么呢？

蛙爸爸把蝌蚪从背上放下后，会用鸣叫声把蛙妈妈呼唤过来，然后蛙妈妈会在水坑中产下新的卵。

为什么要这么做呢？

实际上，蛙妈妈产下的是没有生命的未受精卵。这些未受精卵可以作为小蝌蚪的食物。因为在只有一点水的小水坑里，小蝌蚪可以吃的孑孓之类的食物非常少。所以，在这种没饭吃的情况下，蛙妈妈为孩子准备了食物。

这样，网纹箭毒蛙夫妇通过共同努力，在水源有限的恶劣环境中，成功地把小蝌蚪抚养长大。

达尔文蛙：
把卵放到声囊里保护的雄性

达尔文蛙的名字得名于其发现者——提出进化论的查尔斯·达尔文。

达尔文蛙也是由雄蛙负责育儿的蛙类。

抚育孩子，意味着至少要有保护孩子的能力。之前介绍的产婆蟾和箭毒蛙可以通过毒液来保护自己。那么，达尔文蛙是用什么方式保护自己的呢？

达尔文蛙呈棕色或绿色，从上面看下去，就像一片叶子。它会趴在地面上，伪装成落叶，以此保护自己。

但是，这样有一个问题。

产婆蟾把卵缠在腿上，箭毒蛙把蝌蚪放在背上。达尔文蛙好不容易伪装成叶子，如果卵还是能被看到，天敌发现了不就被吃掉了吗？

因此，达尔文蛙不在体外保护孩子，而是在体内保护。

雌蛙产卵后，雄蛙会将十多个卵吃到嘴里，然后放入用于发出叫声的声囊中。雄性达尔文蛙有一个从喉咙一直延伸到腹部下方的声囊。卵会在声囊里孵化成蝌蚪，汲取父亲体内分泌的营养物质，直到长成蛙。

这些被父亲保护着成长起来的孩子，一旦变成

Chapter 07 两栖动物的育儿

蛙，就会从父亲的嘴里跳出来。

非洲牛蛙：
在干旱地区，雄性为了育儿赌上性命

非洲牛蛙体长可达20厘米，是生活在非洲大陆上的体形最大的蛙类。在干燥的草原上，非洲牛蛙通常会挖掘洞穴，潜身于地下。然后，干燥的旱季到来时，它们会蜕皮，用皮做成一个茧，缠绕在身体周围，之后进入长时间的休眠。这个茧可以防止水分蒸发，使它们能够忍耐干旱。就这样，它们可以在土中度过长达十个月的时间。对于需要水分的两栖动物来说，这还真是一个极端严酷的环境啊！

雨季一到，牛蛙翘首以盼的雨水一旦落下，它们就会从沉睡中苏醒，来到地面上。雨水在草原上形成了大水坑，非洲牛蛙为了繁殖而聚集在一起。

在水边，雄性非洲牛蛙会围绕着雌性展开激烈的争斗。然后，雌性非洲牛蛙会和雄性胜利者相依相偎，直到产出蛙卵。

一般来说，雌性蛙类通常比雄性的体形更大。因为雌蛙需要产出大量的卵，必须要有很大的体形。然而，非洲牛蛙是一种特殊的青蛙，雄性比雌性的体形更大。这是因为非洲牛蛙是由雄性负责育儿，在严酷的环境中，育儿绝不是一件容易的事。为了壮烈的育儿工作，雄性非洲牛蛙需要拥有庞大的身体。

保护刚产下的卵和蝌蚪，是雄性非洲牛蛙的工作。

雄蛙会带着成千上万刚从卵孵化出来的蝌蚪，在水坑中生活。在暂时形成的水坑中，食物并不丰富。如果以水坑中的微生物为食，数以千计的蝌蚪很快就会把它们吃得精光。因此，雄蛙会引导它们去找别的食物。在干旱的草原上，食物本来就不丰富。在拖家带口的育儿过程中，非洲牛蛙爸爸很可能完全找不到食物。

此外，保护孩子免受敌人伤害，也是雄蛙的重要任务。雄性非洲牛蛙非常勇猛，即使蛇靠近，它们也会勇敢地发起攻击。令人更为惊奇的是，就算对手是牛或大象，它们也会进行撞击或撕咬，非常强悍。

然而，困难远不止这些。

非洲牛蛙选择在相对较浅的水坑中进行育儿。这是因为水坑里没有吃蝌蚪的鱼类。而且，水坑的温度很高，这有助于蝌蚪更快地成长。然而，这里是干旱地区。即使好不容易形成了水坑，在灼热的阳光照射下，水坑可能转眼间就干涸了。因此，非洲牛蛙宝宝会以惊人的速度成长。短短两天，它们就可以从卵孵化成蝌蚪，然后在几周内变为成年蛙。

即便如此，仍然赶不上水干涸的速度。这时，雄性非洲牛蛙会用腿挖掘水渠，把水引进来，或者将孩子们带到其他水坑避难。这些水渠的长度有时长达十几米，对于蛙类来说绝对是一项拼上自己性命的大工程。在骄阳下，牛蛙父亲疲惫不堪，可依然全力以赴，挑战着这项破釜沉舟的工程。

正是因为育儿工作强度如此之高，雄性非洲牛蛙才拥有着比雌性更庞大的身体。

日本大鲵：
被其他雄性袭击巢穴的悲剧

已知有十七种大鲵会进行育儿。

在这之中，雌性育儿的有十二种，雄性育儿的有五种。

是什么导致了这种差别呢？

由雌性育儿的十二种大鲵，都采取体内受精的方式。体内受精，就意味着卵的最终所有者是雌性。因此，由雌性进行育儿。

相对地，雄性进行育儿的五种大鲵，都采取体外受精。体外受精，是由雌性产卵，雄性在上面覆盖精子，在体外成为受精卵。因此，卵的最终所有者就变成了雄性。对于雄性来说，受精卵在雌性体内，就有可能和其他雄性的受精卵混在一起，而自己精子覆盖的卵，毫无疑问属于自己。正因为如此，它们会全身心地投入育儿。

日本大鲵栖息在日本山区，是世界上最大的两栖动物之一。到目前为止，记录在案的个体体长达到了150厘米。

日本大鲵采取体外受精，由雄性负责育儿。

日本大鲵在岸边的深洞内产卵。雄性大鲵会寻找适合产卵的地方，清理洞穴，等待雌性大鲵的到来。

然而，适合产卵的洞穴并不多。雄性需要争夺洞穴，进行激烈的争斗。在互相厮杀的战斗中，很多雄性会失去脚趾，有些甚至丧命。最后，赢下战争的强大雄性会成为洞穴的主人。

不久之后，雌性会来到守护洞穴的雄性身边。雄性将雌性迎入洞穴，雌性在洞穴内产卵。

然而，对于雄性大鲵来说，雌性大鲵进入洞穴后，仍然不能放心。时不时都可能发生意外。

一旦雌性大鲵开始产卵，那些没有夺得洞穴的雄性会一齐来袭击洞穴。虽然拥有洞穴的雄性是连胜的冠军，但面对集体攻击，仍然难以应对。在拼命进行抵抗的间隙，那些曾经败北的雄性大鲵有可能趁机潜入巢穴，向雌性大鲵产下的卵释出精子。

对于之前一直在守卫洞穴的雄性大鲵来说，真是令人郁闷啊！这正是日本大鲵采取体外受精而引发的悲剧。一旦横刀夺爱的雄性大鲵离去，最后留下来的洞穴主人也会排出精子，让卵完成受精。

随后，雄性大鲵会留在巢穴里，一直保护着卵，直到它们孵化。

其他雄性侵入过巢穴，所以很多卵都可能是别人的孩子，搞不好比自己的孩子还要多。然而，不管是否明白这个事实，作为洞穴主人的雄性大鳈，都会坚持不懈地保护这些卵。它仿佛在用行动表明，这是所爱的雌性大鳈产下的卵，所以无论是不是自己的孩子，都能够用心去爱。

不过，也会有多只雌性大鳈到同一个洞穴中产卵，而且会反复发生。当然，每当有雌性大鳈来产卵时，其他雄性都可能来袭击。即便如此，作为巢穴主人的雄性大鳈，仍会像这样一点点增加洞穴中的受精卵。

雄性大鳈在保护卵的同时，也时不时在巢穴中活动一下身体。这是为了向巢中注入新鲜的水。另外，雄性大鳈的皮肤会分泌具有抗菌作用的活性物质，保护卵不被细菌感染。

终于有一天，稚鳈从卵中孵化出来，离开巢穴。父亲的体长能达到1米，而孩子们的体长只有3厘米左右。刚刚出生的稚鳈，无从得知父亲壮烈又哀伤的故事。不过，这样就好。它们可能会在未来某时成长为庞大的个体，作为主人回到这个巢穴。到那时，它们只需要像伟大的父亲曾经做的那样，用心保护后代就可以了。

Chapter
08
鸟类的育儿

90%以上的鸟类是一夫一妻制，夫妻双方会合力养育孩子。

鸟类是高度进化的生物。因为鸟类要在空中飞翔，需要减轻体重，所以无法像哺乳动物一样在肚子里养育胎儿。另外，卵太大了的话，它们也生不下来。

因此，从小小的鸟蛋里孵出来的雏鸟，还没有发育成熟，没有视力，羽毛也没有长出来。鸟类进化出了育儿行为，可以照顾这些不成熟的雏鸟。

出于身体结构的原因，产下发育不成熟的孩子，导致夫妻必须双方共同参与育儿，这与人类的情况很相似。

然而，鸟类的育儿是很艰难的。

如果没有一直孵蛋，进行保温的话，鸟蛋会坏掉，因此需要轮流孵卵，或者不孵卵的一方为孵卵的一方带来食物。为了喂养雏鸟，鸟类父母也必须频繁

Chapter 08 鸟类的育儿

地带回食物。这样一来，仅由母亲独自育儿几乎是不可能的。

另一方面，像鸡和鸭这样平时不飞翔的鸟类，可以产下较大的卵，所以小鸡和小鸭一出生，就能够马上行走和进食。鸡和鸭是雌鸟独自育儿，不用雄鸟的协助。

"鸳侣"是夫妻感情深厚的代名词，但鸳鸯中的雄鸟并不参与育儿。在繁殖期，雄鸟会和雌鸟紧紧相依，一同在水面上畅游，人们把这个场景当作夫妻关系亲密的象征。实际上，雄鸟只是紧紧护着雌鸟，以免其他雄鸟夺走雌鸟。一旦雌鸟产下了卵，雄鸟确认留下了自己的后代，就会解除夫妻关系，去往别处，只有雌鸟独自承担育儿责任。

所以，"鸳侣"的真相，并不是人们想的那样。

接下来将介绍的鸟类都是由夫妻共同努力照顾子女的，它们才是真正意义上的"鸳侣"。

白头雕：
象征着美国的鸟，也是忠贞的标志

美国的国徽图案，是栖息在北美洲的白头雕。

白头雕被誉为"猛禽之王"，非常强大。

美丽又高贵的白头雕，自古以来就被视为神圣的鸟。美国原住民会在头上戴羽毛饰品，这些头饰通常是由白头雕的羽毛制成的。

白头雕夫妻相依相偎的姿态，也被视为忠贞的象征。

正如前文介绍的，被视为夫妻和谐象征的鸳鸯，实际上只是雄性疑心重，要黏着雌性而已。

那么，白头雕夫妻是什么情况呢？

白头雕是一夫一妻制，夫妻俩相伴一生，直到其中一方死去。

虽然鸟类中有很多是夫妻共同育儿，但也有不少是每到繁殖季节就会更换伴侣。然而，白头雕一生都会对伴侣保持忠贞。

不仅仅是白头雕，像雕和鹰等猛禽都是一夫一妻制，会和同一伴侣度过一生。由于猛禽需要广阔的领地来捕获猎物，所以很少有机会与其他异性相遇。因此，它们不会不断寻找新的伴侣，而是一旦与伴侣结为夫妇，就会一同守护领地。

在美洲生活的黑美洲鹫，更加彻底地奉行一夫一妻制。如果它们出轨了，想与非伴侣的鸟交配，那么不仅会遭到伴侣的攻击，甚至还会受到其他同类的攻击——在它们的社交圈中，花心是不被允许的。

鹰、鹫类等猛禽，包括白头雕，也是夫妻共同协作育儿。只是，孵卵是雌鸟的工作。

事实上，作为"力量"的象征，雌性白头雕比雄性更大、更强壮。因此，由强壮的雌鸟负责保护蛋。

这就是"为母则刚"。

当然，个子相对较小的雄鸟也有自己的任务。雄鸟个子小，灵活敏捷，更容易捕食。因此，雄鸟负责给守护着蛋的雌鸟运送食物。就这样，白头雕妈妈守卫巢穴，白头雕爸爸为大家带来食物。

不仅仅是白头雕，像鹰、雕、鹫等猛禽，雌性都要比雄性体格大。

不久之后，雏鸟破壳而出，雌鸟会留在巢中保护雏鸟，而雄鸟则继续为妻子和孩子寻找食物。

然而，随着雏鸟的长大，仅靠雄鸟带回的食物就不够吃了。于是，雌鸟也会把雏鸟留在家里，自己出去捕猎。体形较大的雌鸟，相比雄鸟来说，在灵活性上有所欠缺，但它能够捕捉到更大的猎物。

这样，白头雕通过雄鸟和雌鸟的协作，共同抚育雏鸟。

彩鹬：
忙着育儿的雄性和悠闲自得的雌性

雄鸟比雌鸟更美丽是一种常见的现象。

例如，美丽的孔雀就是雄鸟，雌孔雀不仅不美，还有点灰不溜秋的。同样，雉鸡等鸟类，雄鸟"打扮"得漂漂亮亮，而雌鸟一点都不起眼。

雌鸟的低调，是为了利用保护色来保护自己。在自然界中，过于艳丽的打扮是一种危险的行为。尽管如此，雄性鸟类仍然愿意冒险，打扮得很美丽。

雄鸟可以与多只雌鸟交配并留下后代，而雌鸟只能留下一个雄鸟的后代。换句话说，雄鸟的交配率比雌鸟高，因此是由雌鸟来选择雄鸟。所以，雄鸟为了被雌鸟选中，才会精心打扮。

另一方面，如果雄鸟和雌鸟协作育儿，雄鸟就无法让多个雌鸟留下自己的后代。因此，雄鸟就不再需要进行不必要的装饰，会变得与雌鸟的样子相似。

然而，也存在一些例外情况。

一种叫作彩鹬的鸟，栖息在水田等地，雌鸟更为美艳动人。

彩鹬是一种会育儿的鸟类，由雄鸟孵卵和照顾雏鸟。与雌鸟的妊娠期比起来，雄鸟的育儿期更长，所以能够交配的雌鸟比雄鸟的数量多。虽然雄鸟很受欢迎，但因为它们要忙着养孩子，没空成为雌鸟的对象。因此，雌鸟会围绕着数量少的雄鸟展开竞争。

大家可能会想，如果这样的话，那一开始就让雄鸟的数量多一点，岂不是更好？

但事实并非如此。

生物界是适者生存的世界，为了生存，上演着激烈的竞争。

这种竞争不仅存在于不同物种之间，同一物种的雄性与雌性之间也存在着竞争。如果雄性很多，那么雌性就能随便选择雄性，雌性就处于有利位置。这样的话，雌性的数量就会增加。而如此一来，雄性又可以选择雌性，雄性又处于有利地位。在这样的博弈过程中，最后雄性和雌性的比例会趋近于一比一。

雌性彩鹬的生活悠然自得，产完蛋后，它们就将后续的麻烦事情交给雄性，然后又去追求下一个新的雄性。彩鹬是生物界中罕见的一妻多夫制动物。

但是，为什么是雄性彩鹬来承担育儿的责任呢？

首先，彩鹬雏鸟从蛋中孵出来后，就能够自己觅食。与那些夫妻共同照顾雏鸟的鸟类不同，彩鹬不必给雏鸟运送食物，只需要保持卵的温度，并保护它们不受天敌的威胁就可以了。在这种情况下，"单亲"照顾子女就足够了。

此外，彩鹬栖息在湿地。湿地的环境很容易变化，鸟蛋被水淹的风险很高。因为雄鸟担任着育儿工作，雌鸟有足够的时间休息，可以再次产卵。如果卵不小心坏了，在附近能立刻找到一只可以交配的雌鸟就没问题了。因此，从长远来看，由雄鸟承担育儿的责任更为合适。

虽然如此，雄性彩鹬在育儿方面可以说精神百倍。每当敌人袭击时，它们会啪嗒啪嗒地拍打翅膀，仿佛受了伤无法飞行。通过这种方式能够吸引敌人的注意，使敌人远离雏鸟。可以说，它们不惜性命也要守护自己的孩子。

白额燕鸥：
雌鸟通过乞食，测试雄鸟的力量

雄鸟的求偶行为是多种多样的。

例如：孔雀会展开美丽的羽毛以吸引雌性；丹顶鹤会轻盈地跳舞，来引起雌性的注意；云雀会热情地鸣叫以示爱。

居住在水边的白额燕鸥，它的求偶行为则非常勇敢。

白额燕鸥会一头扎进海里，捕食鱼类。捕到鱼后，雄鸟会将鱼拿到心仪的雌鸟面前。然后，雄鸟会一边将鱼当作礼物呈上去，一边进行求偶。而雌鸟聪明的地方在于，它不会吃掉最早收到的鱼，而是先收下，但把鱼放着。

当雌鸟接受一条鱼后，雄鸟会接连捕鱼，继续送给雌鸟做礼物。雄鸟就这样一直求爱。雌鸟会像雏鸟那样鸣叫，向雄鸟索要食物，而雄鸟则会投喂雌鸟，简直就像甜蜜的情侣一样。

然而，雄性白额燕鸥会带鱼作为礼物是有原因的。

白额燕鸥是一夫一妻制，夫妇共同合作育儿。如果雄鸟无法捕鱼，那无论如何都不能成为育儿的搭档。因此，雌鸟在撒娇并索要礼物的同时，也在评估雄鸟的能力。还真是机智聪明呀！

也许，人类女性被经济实力强的男性吸引，索要高价礼物，可能也是出于"育儿"的本能。如果这么看，也许不能随便责备女性的索要行为。

一旦雌鸟产卵，雄鸟和雌鸟会轮流孵卵，但雌鸟不会离开巢穴，雄鸟负责为雌鸟带来食物。雄鸟的求爱行为，实际上是对这种投喂行为的预先练习。当雏鸟出生后，雄鸟和雌鸟会共同合作，为雏鸟送来食物。

不只是如此。在一夫一妻制的鸟类中，很多种类每到繁殖季节就会更换伴侣，但根据观察到的例子，白额燕鸥一旦确定了伴侣，每年都是和固定对象结为夫妇。人类都有可能会忘记结婚纪念日，但白额燕鸥每年都会向同一只雌性求爱。

这样的老夫老妻抚养起孩子来也是得心应手，雏鸟的存活率很高。果然，在鸟类世界中，夫妻的默契协作对于育儿非常重要。

白尾黑鹂：
雄鸟搬运小石头，吸引雌鸟的注意

白尾黑鹂是一种栖息在北非干旱地区的鸟类。由于其黑白相间的羽毛颜色，在德语里被称作"穿着丧服的鹂"。

白尾黑鹂栖息的干旱地带，往往是一片草木稀疏、到处是小石头的荒地，它们就在这样严酷的自然环境中生活。

有趣的是，白尾黑鹛雄鸟的行为充满了谜团。

一旦与雌鸟成为伴侣，雄鸟就好像有所图谋一样，开始搬运小石头。白尾黑鹛体重大约40克，是小型鸟类，一边带着石头一边飞行并不是件容易的事。然而，它们一刻不停地搬运着石块，多的时候一天甚至会搬运七十多个小石头。

用不了多长时间，小石头就会堆积如山。据说，雄鸟搬运的小石头最终可以达到一到两公斤，非常惊人。

奇怪的是，搬运来的这些小石头似乎并没有什么用处。

白尾黑鹛会收集枯草和枯树枝来建造鸟巢，但它们并不会将辛辛苦苦建起来的"石头城堡"当作巢的一部分。充满谜团的生物行为，通常都有其合理的原因。对于居住在沙漠地带的白尾黑鹛来说，它们并没有余力来进行毫无意义的行为。

人们曾经推测过各种各样的理由，比如它们是不是用搬运的石块来保护鸟巢，或者通过收集石块来调节温度。但是，有时候收集小石头的地方与鸟巢并不在同一处。也就是说，收集小石头并非为了保护巢穴，甚至和巢穴完全没有关系。

那么，白尾黑鹛雄鸟究竟为何搬运小石头呢？

一些人认为，雄鸟搬运小石头的行为，是为了向雌鸟展示自己的能力。当卵孵化成雏鸟后，白尾黑鸥与伴侣共同进行育儿。然而，在沙漠中收集食物和抚养孩子并不容易。因此，雄鸟通过搬运石头，向雌鸟展示自己有足够的体力来参与育儿工作。

在沙漠中抚养孩子确实需要体力，能够搬运大量石块的雄鸟也确实能够养育更多的子女。

还有更奇怪的地方。在一般的生物行为中，雄性是为了得到雌性才展示自己的强壮。然而，白尾黑鸥雄鸟是在结婚之后才开始搬运石头的。

在日语中有一句俗语："鱼上钩后，就不需要鱼饵了。"这是在说世间男子惯常在结婚之前对女性大献殷勤，但一旦结婚，就心安理得地什么也不付出了。为什么白尾黑鸥雄鸟在结婚后仍然会向雌鸟展示自己的魅力呢？

白尾黑鸥在一次婚姻中会进行多次育儿。如果雌鸟对雄鸟失去兴趣，就可能会抛弃雄鸟。

因此，为了赢得雌鸟的认可，即使在结婚后，雄鸟仍然会继续搬运石头。

天鹅：
为了育儿，选择天敌较少的极寒之地

美丽的天鹅也是人们熟知的采用一夫一妻制的鸟

类。而且，它们一旦结成夫妻，就终身相伴，亲密无间。

天鹅是候鸟，一旦冬天来临，会为了过冬而飞抵日本。到了春季，它们会飞往更靠北边的国家。

在日本过冬的天鹅，有大天鹅和小天鹅两种类型。大天鹅在属于针叶林的泰加林带度过夏季，小天鹅则会迁徙到更北边的北极圈冻土区。冻土区在冬季是冰封地带，夏季气温也只有零摄氏度左右，是一个极寒之地。而且，从日本到那里有4000千米，是一段极其漫长的旅途。

在日本抚育天鹅宝宝，似乎是一个不错的选择，但实际情况并非如此。温暖的地方食物丰富，但捕食雏鸟的天敌也很多。越往北边走，作为天敌的食肉动物就越少。因此，它们选择在北方地区进行育儿，以避开天敌。

尤其是体形较小的小天鹅，更是会朝着没有天敌的北方前进。

天鹅必须在短暂的夏季里抚养孩子，然后再与幼鸟一起进行长达数千千米的旅行。在有限的时间内，为了尽量把雏鸟养得大一些，它们没有时间花心思每年都去求偶。因此，它们采取和相同的伴侣一起育儿的方法。

在极寒之地育儿绝非易事。天鹅夫妇在新婚第一年和第二年都很难顺利育儿，繁殖成功率几乎为零。

随着育儿的技术越来越好，经过十年左右，天鹅的繁殖率会提高到约80%。

小天鹅夫妻离婚的例子几乎没有，然而与之相对的，大天鹅却时不时会出现离婚的情况。也许是因为和小天鹅比起来，大天鹅的迁徙距离较短，有闲工夫离婚。

迁往冻原地区的小天鹅会将枯草收集起来，建造巢穴，在上面产卵。孵卵是雌鸟的工作。与此同时，雄鸟负责保护雌鸟和天鹅蛋。一旦雏鸟孵化，雄鸟和雌鸟将合作进行育儿。

秋天来临，刚刚出生不到半年的雏鸟，必须启程进行长达4000千米的旅行。天鹅的家庭关系非常牢固。父母和幼鸟一起努力，冒着生命危险踏上这段迁徙旅程。

实际上，有的幼鸟由于成长速度赶不上，没有办法开始旅途。还有幼鸟由于力量不足而中途掉队。

这是多么残酷的命运啊！尽管如此，天鹅还是选择了没有天敌的地方。这说明了它们对育儿的重视程度。

鸽子：
雄性也会分泌营养丰富的"鸽乳"

鸽子是一种采用一夫一妻制、共同抚养子女的鸟类。

在日本，常见的野生鸽子是山斑鸠，又称山鸠。山斑鸠曾经是山中常见的鸽子，但近年来也在人类居住的地方出现。

顺便提一下，在神社、寺庙附近经常看到的鸽子，是信鸽长期在野外生活后演变出来的品种，叫作原鸽。日本有一首名为《噗噗噗，鸽子噗噗》的童谣，不过这里的"噗噗"是指山斑鸠的鸣叫声。而会来到游客面前吃豆子的原鸽，叫起来是"咕咕、咕咕"的声音。

山斑鸠喜欢在公园的树木和行道木上筑巢，所以人们能够很好地观察它们的育儿行为。山斑鸠选择在人类附近筑巢，是为了保护自己不受天敌的威胁。在人类居住的地方，天敌很难接近。因此，它们从原本的山间栖息地，迁徙到人类居住的地方。

山斑鸠夫妇一起筑巢，合力孵卵。在相对安全的夜晚，雌鸟负责孵卵，而在危险的白天，雄鸟负责孵卵。

鸟类一般在春天迎来恋爱交配的季节，在昆虫较多的夏季进行育儿。

但是，山斑鸠却不同。它们可以全年无休地抚养孩子，不受季节的影响。人类通过发展文明，能够一年四季储存食物和抚育孩子。然而，在自然界中，能够不受季节限制进行育儿的生物是罕见的。

为什么山斑鸠不用选择合适的季节进行育儿呢?

鸽类能够通过哺乳来抚养孩子,即使是在昆虫较少的季节,它们也能够进行育儿。

当然,作为鸟类的鸽子并不能像哺乳动物一样分泌乳汁。鸽类通过嗉囊制造乳汁,然后从嘴里吐出来喂给雏鸟,即pigeon milk(鸽乳)。雌鸟和雄鸟都可以生产这种"鸽乳"。有了这种乳汁,就算是雄鸟也可以给雏鸟喂奶。

鸽乳有着和哺乳动物的乳汁类似的营养成分,而且其蛋白质和脂肪含量甚至比哺乳动物的乳汁还要更丰富。

雏鸟成长需要蛋白质,所以通常以植物为食的鸟类,也会将高蛋白昆虫作为食物喂养给雏鸟。尽管鸽子是严格的"素食主义者",但它们通过制造营养丰富的鸽乳来养育雏鸟。

人工奶粉问世后,人类的育儿变得轻松许多,即使是父亲也能够给孩子喂奶。

鸽子也是如此,通过使用鸽乳,雄鸟也能够进行哺乳喂养,而且最重要的是可以省去捕食昆虫的麻烦。

因此,山斑鸠在照顾雏鸟的时候,能够利用闲暇,筑起新的鸟巢。不论在什么季节,它们都可以多次筑巢、多次育儿。

然而,山斑鸠如此热情地抚养孩子,其中别有原因。

山斑鸠有许多天敌，乌鸦、蛇、猫、鼬等各种动物，都会攻击它们的蛋和雏鸟。山斑鸠要抚养好几次孩子，这也意味着，平安无事地把孩子养大是一件很难的事。

鹤：
"白头到老"的象征

就如"鹤寿千年"这句日本俗语所说，鹤是长寿的象征。鹤夫妇终身相伴，所以，鹤被看成夫妇和谐、圆满长寿的吉祥物，代表"白头到老"，也就是"相依相偎，直到白发苍苍"。

当然，鹤并不能活上千年，它们的实际寿命只有大约三十年，但在鸟类中算是寿命较长的种类。

在这样漫长的一生中，鹤采取一夫一妻制，一直陪伴着同一位伴侣。据说它们绝对不会出轨，非常了不起。这么看来，鹤夫妇确实是一种非常适合作为吉祥物的鸟类。

鹤夫妇之间的爱是非常深厚的。

一只鹤独自悲鸣，在它的旁边，一定有另一只受伤或死去的鹤。如果伴侣去世，鹤会非常悲伤地鸣叫，它会一直守在死去爱人的身边，决不离开，如果有其他动物靠近，它会挺身保护死者。即便伴侣最终化为骨头，它们也会继续守候；即便大雪降下来，掩埋了尸体，鹤也会一直守在原地，不愿离去。这是多么强烈的夫妻之爱！这是多么壮丽的爱情童话！不愧是能作为夫妻白头到老的象征的鸟类。

鹤夫妇间关系牢固，会共同努力育儿。

鹤通常只有一两个孩子，这在野生鸟类中算是少见的。尽管孩子少，但它们会精心照料。

雄鹤和雌鹤会轮流孵卵，保持卵的温度。待雏鸟孵化出来后，则会带着雏鸟一同行走。两只雏鸟，由雄鹤和雌鹤各自带着一只行走。虽然家庭和睦，但离开栖息地时，它们并不会一齐飞翔。父母会各自携带雏鸟，从不同的地方起飞。这是鹤的聪明之处，不让天敌察觉到孩子的存在。也有人说，这是为了防止整个家庭遭受灭顶之灾。随后，它们会在别的地点集合，一起去觅食。

在日本民间传说《仙鹤报恩》中，一只仙鹤为了报答救命之恩，化作鹤妻嫁给恩人，并且用自己的羽毛织成珍贵的鹤锦。故事的最后，被揭晓真实身份的鹤妻留下丈夫和孩子，自己离开了。这个故事充满了夫妻之爱。鹤妻在离开的那一刻会是多么万念俱空啊！

然而，从生物学的角度来看，这个《仙鹤报恩》的故事原型，并不是鹤，而很像是鹳。

因为鹳无法发出叫声，所以雄性和雌性进行沟通时，会用喙发出"咔嗒咔嗒"的声音。一些人认为，由于鹳的叫声与织布的声音相似，所以有了《仙鹤报恩》的故事。

鹳的样子与鹤很相似，也和鹤一样，是雄鸟和雌鸟共同育儿的鸟类。

在安徒生的童话里，鹳会送来婴儿。可能是鹳亲密和谐的育儿场面，催生了这样美好的故事。

非洲鸵鸟：
心机交织的后宫

非洲鸵鸟是世界上最大的鸟类，由雄鸟负责抚育孩子。

非洲鸵鸟采取一夫多妻制。通常，一夫多妻制的雄性会建立后宫，保护族群。为什么后宫的主人还要负责抚养孩子呢？而且一夫多妻制的雄鸟，有很多孩子，怎么才能够照顾这么多子嗣呢？

一夫多妻制下的雄性，会为了争夺雌性而进行激烈的战斗。非洲鸵鸟也不例外。

雄鸟之间为了争夺领地展开激烈的争斗。然后，获胜的雄鸟会赶走失败的雄鸟，占有领地和领地中的雌鸟。

然而，对于非洲鸵鸟来说，争斗不仅仅发生在雄鸟之间。雌鸟也会互相竞争，确定群体中排第一的雌鸟。然后，成为老大的雄鸟会和优胜的雌鸟交配。

不过，由于是一夫多妻制，雄鸟也会向其他雌鸟求爱，因此胜出的雌鸟在孵卵的时候，其他的雌鸟会陆续在它的巢里产卵。

尽管夺得正妻的位子，但胜出的雌鸟不但让其他雌鸟有产卵的机会，还让它们在自己的巢里产卵。这是多么宽阔的心胸啊！

不过，鸵鸟皇后也有自己的考虑。

非洲鸵鸟虽然采取一夫多妻制，但巢只有一个。雌鸟争夺第一的位子，就是为了拥有管理这个巢的权力。

胜出的雌鸟会将自己的卵放在巢中央，将其他雌鸟产下的卵移到周围。

如果秃鹫等天敌来袭击卵，会从放在巢外侧的卵开始吃。这样的话，放在中央的卵就得到了保护。换句话说，胜出的雌鸟允许其他雌鸟产卵，是为了把别的雌鸟的卵当作保护自己卵的诱饵。

当然，没拿到第一名的雌鸟也理解这一点。如果没有遭受天敌袭击，卵能够存活下来，作为输家的雌鸟也有可能留下后代。

然而，胜出的雌鸟并不会一直负责育儿。一旦确定了卵的位置，它就将后续的照顾责任交给雄鸟，由雄鸟负责孵卵。保护卵是强壮的雄鸟的责任。

鸟巢太多的话，雄鸟也无法保护所有的卵。所以，虽然是一夫多妻制，但只有一个鸟巢。

雏鸟从卵中孵化出来后，雄鸟和雌鸟会保护它们。雏鸟一出生就能够自己觅食，所以父母只需要保护它们不受天敌的伤害就可以了。

但是，非洲鸵鸟的妻子和孩子的态度是很冷漠的。

当族群成员发生摩擦时，雄鸟会激烈争斗，但雌鸟和雏鸟会抛弃失败的父亲，随着获胜的雄鸟离去。比起家庭的羁绊来说，它们希望由更强壮的雄鸟保护。

获胜的雄鸟也会接纳其他雄鸟的孩子。这是因为，在遇到天敌时，有更多雏鸟的群体，就有更高的生存可能性。

胜出的雌鸟可能会养育"妾"的孩子，获胜的雄鸟可能会接纳其他雄鸟的孩子。非洲鸵鸟的世界真是交织着各种深重的心机呀！

鸸鹋：
由雄鸟育儿的澳大利亚国鸟

鸟类中有90%的种类由双亲共同育儿。只有10%左右的鸟类是由一方独自育儿，其中，8%由雌性育儿，2%由雄性育儿。

鸸鹋就属于这2%的鸟类之一。

鸸鹋栖息在澳大利亚，是体形第二大的鸟类。

世界上体形最大的鸟类为鸵鸟，采取一夫多妻制。像鸵鸟这样幼鸟较早独立的鸟类，通常父母无须共同育儿，所以这类鸟通常采取一夫多妻制或群婚制。

然而，鸸鹋采取一夫一妻制，而且雌鸟不参与育儿，雄鸟独自负责育儿。

雌鸟产下卵后，会离开巢穴，留下雄鸟负责孵卵。雄鸟有着满满的使命感，甚至会驱逐身为母亲的雌鸟。

孵卵周期大约为八周。在此期间，雄鸟不会离开巢穴，不吃不喝。在这长达五十多天的时间里，雄鸟不吃饭、不排便，一直孵卵。孵卵结束后，它的体重会减到原来的一半。

蛋终于孵好了，但是雄鸟的育儿任务并未结束。在接下来的十八个月里，雄鸟将继续照顾雏鸟。雄鸟会嘴对嘴地给孩子喂食，真是一位爱操心的父亲！雄鸟还会教导雏鸟如何觅食，雏鸟可以跟着父亲一起寻找食物。

如果由雄鸟照顾孩子，从育儿中解脱出来的雌鸟，就能够专心产卵。这样一来，雌鸟可以产出很大的蛋。雌鸟每两三天产下一个蛋，总共会生8到20个蛋，每个蛋的重量为700至900克。这是一个鸡蛋重量的十倍以上。鸸鹋的雌鸟能够产下这样大的蛋，是因为雄鸟负责照顾孩子。

而且，在雄鸟孵卵的时候，雌鸟会去找下一只雄鸟。这样一来，雌鸟会不断产卵，对雄鸟来说，甚至都无法确定鸟巢中的孩子究竟是不是自己的。尽管如此，雄鸟仍然努力地进行育儿。

有些雌鸟会擅自在其他鸟巢中产卵，把自己的卵"托付"给别的雄鸟。在这种情况下，别说不是自己的孩子，甚至可能都不是伴侣的孩子，但雄鸟也不得不照顾。奇怪的是，雄性鸸鹋对于"别鸟"的孩子也是宽容的。在育儿的过程中，如果有和父母失散的雏鸟，雄鸟甚至也会捡回来照顾它。

雌鸟"不择手段"地不断产卵，甚至用狡猾的方法让其他雄鸟来给自己带孩子，然而雄鸟连对"别鸟"的孩子都是宽容的。

可能是因为鸸鹋生活在严酷的环境中，所以发展出了各种各样的育儿智慧。这是因为在严酷的环境中，没有闲工夫去做漫长的争吵，每只鸸鹋都在拼命地想办法留下后代。

鸸鹋居住在澳大利亚的东部，那里雨水很少。因此，为了寻找植物和昆虫作为食物，鸸鹋必须一边寻找下雨的地方一边迁徙。

目前还不清楚，鸸鹋是如何知道哪里在下雨的。有一种说法是它们会追逐雨云，或者通过嗅到潮湿土地的气味来判断。很多时候，它们一天内的移动距离就达到数十千米，有时一年超过8000千米。鸸鹋是一直在旅行的流浪者。

在繁殖季节，它们会一直孵卵，什么都不吃，一旦卵孵化成雏鸟，就会每天流浪。这就是雄性鸸鹋的生活方式。

在澳大利亚，人们认为鸸鹋是一种绝不退缩的鸟类，把它选为国鸟。"唯有前进"——正是雄鸟独自育儿的鸸鹋的写照。

丛冢雉：
雄鸟用落叶做一个"小山包"为蛋保温

丛冢雉生活在澳大利亚森林中，雄鸟的育儿方式非常奇怪。

尽管需要花费整整五十天拼尽全力育儿，但它们几乎不与卵或雏鸟接触，甚至看不到雏鸟的脸。

"丛冢雉"这个名字，源于其制作"丛冢"的行为。雄性丛冢雉会收集落叶，建造一座直径约6米、高1米的巨大落叶山。随着时间的推移，在微生物的作用下，落叶山会开始发酵，温度上升到能够产生水汽的程度。丛冢雉就在这个小山包里给蛋保温。

一旦小山包完成，雄鸟就向雌鸟求爱，让雌鸟在小山包中产卵。

雌鸟筛选雄鸟的条件，不是外貌，也不是力量。

雌鸟会把喙插入小山包中，测量温度。这个温度是雌性判断的依据。如果温度不够孵化卵，雌鸟就不会产卵。

如果雌鸟喜欢这个小山包，它会留下来，产下很多卵。但是，在产卵后，雌鸟会毫不留恋地离开。

雄鸟不会孵卵。雄鸟只用管理好小山包的温度，通过落叶发酵产生的热量来持续给卵保温。

温度不能太高或太低。适合卵孵化的温度是33摄氏度左右。如果温度下降，就要添加落叶、搅拌土包。雄鸟就这么勤勉地管理温度，促进发酵。

尽管有小山包保护，这些卵仍然会被天敌盯上。一旦有天敌靠近，雄鸟会拼命赶走它们。就这样，雄鸟努力保护着小山包和卵。

终于，在落叶山中，卵孵化了。新生的雏鸟会花几个小时，推开落叶，从小山包中爬出来。雄鸟会拨开落叶，帮助雏鸟出来。然后，雏鸟终于从落叶山中走了出来。

雄鸟终于见到了自己心爱的孩子。然而，一旦雏鸟来到外面的世界，它就不再需要父母的保护。即使刚刚出生，雏鸟也能自己找食物。甚至能跑能飞。

因此，从小山包中出来的雏鸟，会一溜烟地迅速逃离父亲。

尽管辛辛苦苦地孵化了蛋，但丛冢雉爸爸甚至都无法好好看看孩子的脸庞。

这也没关系。虽然看起来残酷，但无论父亲曾经多么呵护孩子，对于已经独立的后代来说，父亲只是未来生活的阻碍罢了。

帝企鹅：
在南极进行着最艰苦的育儿行为

帝企鹅选择在南极这个极端恶劣的环境中生存。这是因为南极几乎没有袭击鸟类的肉食动物，所以它们进化出了能够在南极生活的能力。

为了在这种恶劣的环境中生存下去，帝企鹅的智慧是"由父亲育儿"。

虽说如此，生活在极寒南极的帝企鹅，育儿过程是极其悲壮的。帝企鹅被称为"世界上育儿最艰苦的鸟"。

到了三四月的时候，企鹅为了产卵，会前往远离海洋的地方。尽管南极天敌较少，但在靠近海洋的地方，仍然有虎鲸和海豹之类的肉食动物。

南极处于南半球，3月是即将进入冬季的时候。

在迁徙的末尾，进入内陆地区之后，企鹅会进行求爱，寻找一对一的配偶。从5月开始到6月左右，雌企鹅会产下一个很大的蛋，放在前脚上。

在前脚上产卵是有原因的。如果卵接触到冰冻的地面，就会被冻住。所以在产卵的同时，雌企鹅会用脚接住卵。雄企鹅会把这个卵接过来，移到自己的脚上。然后，用肥肥的腹部将卵盖住，进行孵化。从这一刻开始，雄企鹅就开始了漫长的育儿过程。

从离开海洋进入内陆之后的两个月里，企鹅一直没有进食。雌企鹅结束产卵后，为了恢复体力，会立马前往海洋寻找食物。在雌企鹅返回之前，雄企鹅会一直静静地孵化脚上的卵。

当然，雄企鹅在此期间无法进食，只能专心孵蛋。

此时是冬季，南极迎来极夜，几乎没有阳光。一整天都漫长而黑暗，气温降至零下60摄氏度，暴风雪大作。在这样的环境中，雄企鹅仍然坚守着卵。

在狂风暴雪中，企鹅聚集在一起，形成一个圆形，这就是所谓的"列队争球（橄榄球中的一种战术）"。列队争球的中心很暖和。企鹅的列队争球呈螺旋状，雄企鹅依次朝着圆心移动。然后，中心的企鹅会换到圆的最外侧排队。它们轮流移动，共同抵御寒冷。就这样，雄企鹅齐心协力，度过严寒的南极冬季。

即使从雪坡上滚下来，雄企鹅也不会把蛋放下。真是父爱如山呀！

随后的两个月，雄性帝企鹅什么都不吃，一直给卵保温。从离开海洋到产下卵的时候，雄性帝企鹅已经两个月没有进食了。换言之，雄企鹅要在极寒中绝食达四个月之久。

终于，到了8月左右，小企鹅从卵中孵化而出。这个时候，已经结束长途旅行的雌企鹅会带着足够的食物，从海洋返回，给小企鹅喂食。

如果在雌企鹅返回之前雏鸟已经孵化，雄企鹅会从食道中吐出一种乳状的物质，作为食物喂给小企鹅。这被称为企鹅乳。

然后，雄企鹅将小企鹅交给雌企鹅，前往海洋捕食。然而，长达四个月没有进食，还要持续孵蛋，雄企鹅的体力已经接近极限。在寻找食物的途中，有的雄企鹅甚至因力尽而丧命。

帝企鹅的育儿是如此艰辛！

在原地等待的雄企鹅确实很辛苦。让雄企鹅等待，自己前往海洋捕食食物的雌企鹅，同样也是非常辛苦的。离海洋的距离可能远达50到100千米呢！在旅途中，暴风雪随时可能席卷而来，大海里也潜伏着肉食动物。这真是一次赌上性命的旅行。

为什么帝企鹅会在如此寒冷的冬季产卵呢？

鸟类通常在春季求偶、产卵，然后在食物丰富的夏季育儿。然而，南极的夏季非常短暂。如果在春季求偶、产卵，子女还没长大，夏季就结束了，然后不得不面临冬季的严寒。因此，为了在冬季来临之前把孩子养大，帝企鹅必须在冬季产卵，在春季到来的时候孵化小企鹅。

而且，为了在短暂的夏季中养育出有能力度过冬

天的子女，帝企鹅会产下一个很大的卵，用心抚育这唯一的、大大的企鹅蛋。

帝企鹅名字的意思是"企鹅中的皇帝"。这个名字或许显得有些夸张，但它们值得骄傲的生活方式确实配得上"皇帝"这个名号。

孵化出的小企鹅会被集中在一个类似保育园的地方，受到整个群体的照顾。就像这样，在父母的关爱下成长起来的雏鸟也会成为优秀的父母。

Chapter
09
哺乳动物
的育儿

鸟类中有90%以上的种类是夫妻共同育儿。那么哺乳动物呢？

遗憾的是，与鸟类相比，哺乳动物中父亲承担育儿责任的例子并不多。据说，在哺乳动物中，父亲承担育儿责任的情况不到5%。

鸟类会通过孵蛋保护孩子；哺乳动物学会了用母体保护胎儿。从保护孩子的角度来看，胎生是一个出色的机制。

这也存在一个问题，那就是从交配到分娩必须经历一段漫长的怀孕期。

对于鸟类来说，从交配到产卵的时间较短，所以父亲能够认识到卵是自己的孩子。相反，由于哺乳动物的怀孕期较长，父亲很难认识到出生后的孩子是自己的。

另一方面，哺乳动物不必像鸟类那样频繁地给孩子送食物，因为可以用母乳这个优秀的营养源喂养它们。

Chapter 09 哺乳动物的育儿

也就是说，得益于母亲卓越的育儿系统，独自抚养孩子成为可能。出于这种原因，哺乳动物主要由母亲承担育儿责任。

重申一遍，所有的生物都是为了留下后代而生存。那么，不育儿的雄性哺乳动物就没有存在的价值了？事实并非如此。

雄性不断地追逐新的雌性，与其他雄性激烈争夺雌性。雄性虽然不育儿，但会把没用于繁殖的能量用来进行战斗。此外，统领群体的雄性会不惜性命，保护整个族群，也就是说雄性是为了雌性和孩子而生存的。

哺乳动物中也存在参与育儿的父亲。如果父亲参与育儿的话，孩子的存活率将有飞跃性的提高。对于哺乳动物来说，育儿同样是"为了雌性和孩子而战"的一部分。

草原犬鼠：
在大草原上生存的智慧小动物

草原犬鼠生活在美国的大草原上。草原犬鼠名字的意思是"草原上的狗"。实际上，草原犬鼠属于松鼠科，与狗毫无相似之处，但当它们感到危险时，会像狗一样发出"汪汪"的叫声。因此，它们被称为"犬鼠"。

草原犬鼠是一夫多妻制。在一夫多妻制下的哺乳动物中，雄性通常不会育儿，但雄性草原犬鼠有所不同。

草原犬鼠在土里挖洞居住。洞穴外有很多天敌，非常危险。因此，雄性和雌性草原犬鼠藏身于地下，一起合作育儿。

几个家庭的草原犬鼠还会聚集在一起，互相帮助，一起生活。

大草原中没有藏身之处，对于个头小的草原犬鼠来说充满了危险。因此，家庭成员必须团结一致，以求在严酷的环境中生存下去。

草原犬鼠爸爸很为孩子操心。当妈妈在喂奶时，爸爸会为孩子梳理毛发。就这样，爸爸与孩子建立了亲密的关系。

然而，它们不能一直待在地下。草原犬鼠以草为食，为了吃草，它们必须从洞穴中出来。

当孩子在吃草时，草原犬鼠父母会一直在四周戒备，一旦发现危险就会发出"汪汪"的叫声。成为草原犬鼠名字由来的这种叫声，是用来通知家庭成员危险的警报信号。

草原犬鼠的家庭关系非常好。然而，最终分别的时刻还是会到来。孩子长大了，就到了离巢的时候。

一般来说，哺乳动物长大后，通常会离开父母独立生活。然而，草原犬鼠有所不同。

由于外面的危险很多，父母做不到将精心抚养的孩子赶出巢穴。因此，并非孩子离开家，而是父亲离开巢穴。

尽管令人难过，但也许这就是父亲的意义。

当孩子长大后，不再需要父母保护了，草原犬鼠父亲最后能做的事情，就是将巢穴让给孩子，自己离开。

河狸：
育儿是为了传授筑坝技术

河狸是优秀的土木工程师。

它们"砍"倒树木，收集木材和树枝，筑起大坝，阻挡河流，形成堰塞湖。这是大规模的工程。

据说，河狸是在人类之外，唯一一种为了自己的生活而改变周围环境的动物。

对于河狸的生活来说，建造大坝意味着什么呢？

河狸会收集木材，在由大坝形成的湖中，建造类似岛屿的巢穴。随后，它们在巢穴的下方开辟出入口，这样就可以从水中进出巢穴。

擅长游泳的河狸可以进入巢穴，但是像土狼和鼬这样不能潜水的天敌就无法侵入巢穴，河狸可以安全地生活。

然而，当水位下降时，巢穴的入口会露出水面，天敌可能乘虚而入。因此，河狸会筑造大坝以保持水位。虽然筑坝是一项大工程，但对河狸来说却是生存的重要手段。

河狸采用一夫一妻制。

地面上有许多天敌，所以河狸不会离开自己筑造的堰塞湖。当小河狸在巢穴中长大后，会离开巢穴独立生活，但与伴侣相遇并组建家庭之后，与其他异性会面的机会就很少了。与其冒险寻找新的伴侣，不如由夫妇共同守护大坝和巢穴，这样更为安全。

河狸夫妇共同努力筑造大坝，搭建巢穴。然后，在巢穴中生育和照顾孩子。河狸母亲负责照看幼崽，河狸父亲负责给妻子和孩子带来食物。

对于在湖中筑巢的河狸来说，游泳是最重要的生存技能。刚出生的河狸几小时后就能漂浮在水面上。之后，它们从父母那里学会游泳，只需要一周，就能够游泳和潜水了。

虽然河狸宝宝很快就能成为独当一面的游泳高手，但接下来的两年里，它会与父母一起生活在巢穴中。到了第二年春天，新的孩子出生了，但哥哥姐姐并不会离开巢穴，而是一起生活。为了生存下去，河狸的孩子必须学会许多技能。

其中包括筑坝和建巢。

要做好一个水坝，需要砍伐树木、运送和堆叠树枝，以及涂抹泥土。河狸必须学习这一系列筑坝技术。孩子在帮助父母干活的同时，也学习着筑坝和修理巢穴的方法。

就这样，整个家族一起努力工作。

即使人类使用重型机械摧毁了河狸的大坝，大坝也会在一夜之间恢复原状，简直就像魔法师的法术一样。大坝对于河狸的生存至关重要，因此河狸会拼命进行修复工作。

父辈传给孩子，孩子传给孙辈，水坝筑造的技术就这样沿着血脉传承下来。

如果增加大坝的长度和高度，那么堰塞湖就会变得更大。这意味着河狸的生活范围更广，也能更远离天敌。因此，河狸会勤勤恳恳地筑造水坝。

2007年，人类通过卫星照片发现了世界上最大的河狸大坝，其长度达到850米。这座大坝从20世纪70年代开始修建，经过了多代河狸的努力扩建。这真是代代相传的伟大事业呀！

狼：
性格温柔，疼爱子女的父亲

就像在《小红帽》和《狼和七只小羊》中所读到的一样，狼常常被描绘成凶恶的形象，但实际上它们是非常疼爱子女的动物。

狼采用一夫一妻制。而且，雄狼和雌狼会携手度过一生，直到其中一方去世。

《西顿动物记》中的第一个故事是关于狼王罗博的故事。

罗博不惜性命也要救出被陷阱困住的爱妻，最终付出了自己的生命。

在漫画《哆啦A梦》中也有一个叫作《拯救狼一家》的故事。

这个故事讲述的是，哆啦A梦发现了已经被认定灭绝的日本狼，狼爸爸思念着家族，家族崇敬着狼爸爸。哆啦A梦被狼家族间的情谊深深打动，所以想办法保护了它们。

从古至今，狼经常被描绘成坏人，但正如《西顿动物记》和《哆啦A梦》中所描写的那样，实际上它们是充满亲情的动物。

不只是狼会被描写成坏人。

豺、土狼、非洲野犬等犬科猎手，虽然是令人畏惧的凶猛野兽，但它们都以家庭为单位照顾子女，都是温柔的"奶爸"。

狼以夫妻为基础组成家族，群居并一起行动。捕获体形较大的猎物，最好合力狩猎。

狼群由父亲担任首领，群体由母亲和兄弟姐妹构成。狼的母亲在巢穴中产下幼崽，父亲负责带领狼群狩猎，将猎物带回给母亲。

当幼崽断奶后，父亲会从嘴里吐出肉来喂养它们。喂养幼崽是父亲的责任。

不久后，幼崽长大，狼群会离开巢穴，迁移到更高一点的地方。然后，将小狼放在那里，成年狼出去狩猎。这个时候，年轻的狼轮流留守，照顾小狼。通过与兄弟姐妹的玩耍，小狼可以学到许多知识。它们在嬉戏打闹中了解狼群的社会规则，并掌握了狩猎方法等生存所需的技能。

一年后，小狼会长到与父母差不多的体形，但它们还没有成熟。根据个体差异，小狼的成熟时间从一年到五年不等。成熟后的狼会离开群体，结识异性，建立新的家庭。

曾经有一首流行歌曲唱道："男人就像狼。"如果是这样的话，那真是太棒了！毕竟真正的狼对家庭充满情感，无比疼爱子女。

狐狸：
隐藏起来的父母心

狐狸是犬科动物。

就像前面提到的狼一样，狐狸是一夫一妻制，雄性狐狸参与育儿。

与狼类似，狐狸也会挖深深的巢穴，母亲负责照看幼崽，父亲负责狩猎。

然而，狼是群居动物，而狐狸不是。它们通常单独行动，只有在繁殖季节才会配对，成为夫妻。

与捕猎大型动物的狼不同，狐狸以老鼠和野兔之类的小型动物为食，因此不需要组成族群。

虽说如此，独自狩猎并非易事。因此，狐狸的领地比狼要广阔。据说，在食物稀缺的地方，狐狸的领地可以达到50平方千米。即使在食物丰富的日本乡下，其领地也达到1平方千米。为了幼崽，狐狸会在广阔的领地里反复搜寻食物。

狐狸有各种各样的狩猎技巧，能够捕捉灵巧的老鼠和野兔。

最基本的狩猎技巧是跳跃。因为追逐老鼠和野兔不是件容易的事，狐狸会悄无声息地接近，然后突然高高地跳起来，从上方袭击猎物。

此外，还有一种在日语里被称为"魅惑"的狩猎方法。

发现猎物后，狐狸会待在猎物逃不掉的距离里，看似很痛苦地打滚。猎物会被狐狸的表演所吸引，产生好奇心，甚至会忘记逃跑。然后，狐狸一边翻滚着，一边慢慢地靠近，乘猎物不备进行突袭。

有时狐狸还会假装死去，使猎物放松警惕。这真是"恶魔"一般的演技呀！堪称令人生畏的欺骗技巧。

此外，聪明的狐狸在捕捉水鸟等猎物时，会将水草和杂草等覆盖在身上，像特种兵一样伪装自己，缓慢接近猎物。日本传说中，狐狸变成美女时会戴上河中的水草，这也可能是源自狐狸的习性。

不过，这些高级技巧，狐狸是在哪里学到的呢？

其实，当狐狸幼崽长到三个月大时，父母就会开始带着它们出远门，然后教给幼崽狩猎等生存所需的重要技能。

等到狩猎技巧教完之后，狐狸父亲就会停止给幼崽带食物，以此来督促它们独立。这看起来似乎很冷酷，但实际上是在教会幼崽生存的残酷性。然而，狐狸父母并不只是严厉，它们会事先在附近藏好食物，让幼崽自己去寻找。虽然表面上看起来很严苛，但实际上充满了温柔，这就是狐狸父母的教育方式。

夏末秋初，离别的时刻即将来临。

孩子终究不能永远留在父母身边。这时，狐狸父母会采取非常严厉的行动。它们会吓唬孩子们，有时还会咬着孩子，驱赶它们。

狐狸是一种对孩子非常宠溺的动物。在育儿期间，它们会非常温柔地照顾孩子，而孩子也会尽情向父母撒娇。然而，一到特定时间，父母的态度会突然变得严厉起来。

幼崽不明白发生了什么，会困惑地试图返回父母身边。然而，平时温柔的父母已经不存在了。每当孩子回来时，父母会威吓它们并将它们赶走。最终，幼崽也会放弃回家，并离开父母。长大的狐狸也会拥有自己的领地，并逐渐成为父母。

这就是狐狸父母和孩子的离别。尽管看起来严厉，但也是为了让孩子独立。这正是狐狸的父母之爱。

狨猴：
家族纽带非常牢固的小猴子

狨猴类是生活在南美亚马孙深处的极小型猴子。它们的体长只有10到20厘米。

侏狨即使在狨猴的种类中也算个子小的了，照片里经常有人把它们放在手掌上，或者用手指捏起来的可爱模样。虽然也有小玩偶出售，但它们实际上与玩偶的大小几乎没有差别。

长期以来，侏狨被认为是世界上最小的猴子。然而，1998年发现了更小的倭狐猴，这使得侏狨失去了"世界最小猴"的称号。

狨猴类采取一夫一妻制，终身与同一伴侣携手相伴。尽管它们很小，但它们是非常了不起的猴子。

在猛兽横行的丛林中，狨猴要生存下去并不容易。虽然在遭遇狼或狮子袭击时可以逃到树上，但在丛林中，大型鸟类也会盯上它们。即使它们藏在树枝的阴影下，巨蛇也会悄悄接近。而且当地的可怕猛兽——美洲虎也会毫不客气地爬上树来。

对于小型猴子来说，丛林是一个极其危险的地方。

那么，为了在这样恶劣的环境中生存下来，需要什么呢？

需要的就是"家族的纽带"。

狨猴妈妈会生下一对双胞胎。一般来说，猿猴类一次通常只会生下一只幼崽，然后精心照料这只幼崽。然而，在天敌众多的丛林中，如果只有一只幼崽，其顺利成长的可能性很低。因此，狨猴会生下两个孩子。

但这并不意味着母亲会对任何一只幼崽减少关爱。令人惊讶的是，狨猴新生儿的体重可达到母亲体重的10%，两只的体重就是20%。

生下体形大一点的幼崽，可以提高幼崽的生存率。因此，尽管自己体形很小，但狨猴妈妈依然会尽力生下体形大的孩子。

然而，这也带来了问题。

狨猴的天敌众多，必须不断寻找并迁徙到安全的地方。对于狨猴来说，带着新生儿移动，成了一项艰巨的任务。

狨猴妈妈无法独自带着两只幼崽移动。因此，爸爸会帮助运送幼崽。

根据最近的研究显示，在狨猴幼崽出生后的一周内，比起母亲，父亲更常抱着孩子，照顾孩子。这大概是出于对因分娩和哺乳而疲惫的母亲的关心吧。

然而，父亲不能给孩子喂奶。因此，在喂奶时间，父亲会将孩子带回母亲身边。

狨猴一年生产两次，家庭成员不断增加。然后，半年前出生的哥哥和姐姐会学着父母的样子，背负和照顾小猴子。通过这种方式，家庭成员共同努力，抚养下一代。

夜猴：
喂奶之外的育儿工作全是父亲的职责

"夜猴夫妇"作为一种关键词，被日本人力集团Recruit公司发表在"2014年趋势预测"中。

夜猴是居住在南美洲的一种猴子。正如其名，它们是夜行性动物。说起来，"夜间的猴子"似乎是不顾家庭，四处游玩的猴子，但实际上并非如此。雄性夜猴以热心育儿而闻名。

"奶爸"在2010年成为流行语，意思是帮助育儿的男性。夜猴的育儿工作并非由母亲承担，而是父亲的责任。这不仅仅是帮个手而已，而是母亲和父亲在平等的地位上合作育儿。

确实，夜猴奶爸的工作模式令人大开眼界。毕竟，抱孩子或者给孩子梳理毛发，这一切都是父亲的责任。

母亲的工作仅限于哺乳。即使奶爸再怎么优秀，也无法哺乳。因此，在哺乳时，雄性夜猴会将幼崽送到雌性夜猴身边。然而，一旦哺乳结束，雄性夜猴会重新接管幼崽。除了哺乳之外，其他育儿工作全部都由雄性夜猴负责。

夜猴是体形较小的猴子，雌性的体重只有600到900克，却能产下约100克的幼崽。对于雌性夜猴来说，分娩是一项艰巨的任务。因此，通过让雄性夜猴进行育儿工作，可以防止已经很疲倦的雌性消耗体力。夜猴是一夫一妻制，与同一伴侣相伴终身。也就是说，雌性恢复了体力，对于下一次分娩是有帮助的。

被认为是猿类祖先的"原上猿"分布在非洲等地。稍微进化了的种群，如非洲的狒狒和亚洲的日本猴等，被称为"旧大陆猴"。从旧大陆猴进化而来的种群，包括大猩猩、黑猩猩、长臂猿和猩猩等"类人猿"。

然而，在中南美洲，存在着一群独自进化的种群，称为"新大陆猴"。

由父亲育儿的夜猴属于"新大陆猴"的类别。在独自的进化过程中，"新大陆猴"选择了雄性育儿，以求在丛林中生存下来。

长臂猿：
夫妻合作，长时间育儿

"猿"如其名，长臂猿的手臂相当长。

长臂猿栖息在热带雨林的树木上，利用长长的手臂在树木之间荡来荡去。

长臂猿以一夫一妻的形式进行生活。随着猿猴类的进化，群居猴子越来越多，以"一对配偶"的形式生活很罕见。

猿猴类会建立领地，不过只由夫妇俩建立领地并非易事。因此，它们会组成社区，大家一起来维护广阔的领地。

长臂猿之所以能够以夫妻作为小单位生活，是因为在夫妇俩能维护的小小领地中，就有丰富的食物资源。

在哺乳动物中，通常是由强壮的雄性保护雌性。然而，如果居住在树上，随时都要从一棵树荡到另一棵树上，在这种生活方式中，雄性不能轻率地让个头长太大。因为身体太大的话，那就要"猴子掉下树"[1]了！

因此，雄性长臂猿和雌性长臂猿在外观上没有太大的差异。而且保护领地也是雄性和雌性合作完

---

1 "猴子掉下树"为日本的一句俗语，意为擅长的事情也可能出现失误。

成的。

由于并不是由雄性长臂猿来保护妻子和孩子，所以育儿工作也是平等分配的。如果雌性长臂猿全身心地投入育儿，单靠雄性长臂猿是无法保护领地的。

长臂猿的育儿期大约为八年，在动物界中算非常长的。虽然哺乳期是两年左右，但长臂猿并不只是在哺乳期养育孩子，它们的养育会一直持续到孩子进入青春期，直到能独立生活为止。

在这段时间里，由于不再进行下一次生育，长臂猿只会有一个孩子。而且，由于长臂猿并非群居动物，领地里只有夫妻俩和孩子一起生活，孩子没有机会和其他小朋友一起玩耍。因此，成为孩子的游戏玩伴，也是雄性长臂猿的重要角色。

然而，一旦长臂猿进入青春期，也会对父母产生逆反心理，想离开父母，独立生活。而另一方面，这个时间点也是父母开始生育下一个孩子的时候。因此，父母会催促孩子离开，让它独立。

父母和孩子之间的互相排斥，以及父母想办法让孩子独立，这些行为在哺乳动物中是很普遍的。

然而，在育儿阶段的最后，长臂猿会展现一种行为。

为了生存，长臂猿必须有自己的领地。

在有其他猿猴争夺领地的情况下，离开了父母的年轻猴子想要保证自己有一块领地，这并不是件容易的事。

因此，长臂猿的父母会确保孩子有一块领地。

长臂猿会用尖厉而响亮的领地之歌，宣布领地为自己所有。然后，它们会扩展自己的地盘，赶走其他猴子，把扩展的地盘让给孩子。

也有些例子显示，直到孩子找到伴侣之前，父母都会协力帮助孩子。当孩子找到伴侣，新的年轻夫妇开始守卫领地时，父母的使命就结束了。

那时，长臂猿父母会有什么感受呢？应该和送儿子或女儿去举行婚礼的人类父母心情相同吧！

大猩猩：
雄性教给孩子"社会的规则"

根据雄性与幼崽的亲密关系，学者将灵长类分为三类。

最热心于育儿的是第一类。这一类包括已经介绍过的倭狨和长臂猿。

与幼崽保持亲密关系，但不积极参与育儿的是第二类。这一类包括大猩猩。

第三类是指雄性不参与育儿，但对幼崽表现出忍耐力，有时与幼崽保持亲密关系的情况。第三类包括日本猕猴和黑猩猩等。

顺便提一下，人类也是灵长类的一种，但在分类中，人类被归为和大猩猩同属的第二类。很可惜，就奶爸而言，人类比不上侏狨和长臂猿之类的猿猴。

那么，和人类为同一类别的大猩猩，又是怎么育儿的呢？

大猩猩由一只雄性头领带领着多头雌性，组成后宫。一般来说，建立后宫的动物往往不怎么参与育儿。毕竟，头领必须保护整个族群，而且因为一只雄性独占着很多只雌性，所以生下来的后代数量也很多，实在无法全部照顾周全。

然而，建立后宫的大猩猩被归为与人类相同的分类。也就是说，雄性大猩猩和人类父亲参与育儿的程度是一样的。它们到底是如何抚养孩子的呢？

大猩猩的幼崽非常小。出生时体重甚至不到2000克。这样的小婴儿要母亲用乳汁喂养到三岁。

这么娇气的婴儿，体形巨大的雄性大猩猩根本照顾不了。在孩子还很小的时候，是母亲一直抱着它，给予它爱和关怀。

然而，大猩猩幼崽断奶之后，母亲会把幼崽放在雄性大猩猩那里。其他雌性大猩猩也会带着自己的孩子来，所以雄性大猩猩周围会有很多幼崽，简直就像是幼儿园一样。在大猩猩的"幼儿园"里，小朋友可以一起玩耍。

雄性大猩猩不会积极地照顾幼崽。然而，当孩子们开始争吵时，雄性大猩猩会进行仲裁。这种仲裁是十分公平的。雄性大猩猩会保护年幼的孩子和受到攻击的孩子。因为所有的孩子都是它的血脉，所以不需要偏袒任何一方。

而母亲却不同。因为自己生下的孩子是心头肉，所以很难不去偏袒。这样一来，孩子之间的争吵往往会变成母亲之间的争吵。

在雄性大猩猩的指导下，孩子逐渐学会了大猩猩的"社会规则"。

随着年龄的增长，孩子开始在母亲和父亲之间往返，就像是在"依赖"和"独立"之间来回摇摆一样。

渐渐地，孩子不再睡在母亲的床上，而是睡在父亲的床上，更会在父亲的床附近，为自己铺床睡觉。建立自己的床是大猩猩独立的标志。

据说，动物园里被人类抚养长大的大猩猩，没有办法自己育儿。大猩猩的孩子，只有接受大猩猩父母的教育，才能成为真正的大猩猩。

棕榈果蝠：
哺乳动物中唯一能喂奶的雄性

哺乳动物的一个显著特征，就是给孩子喂奶。

哺乳动物的雌性，在分娩后会给幼崽喂奶。然而，只有雌性会喂奶，雄性是不会喂奶的。

对于经历了分娩之痛的母亲来说，可以确认出生的就是自己的孩子。作为哺乳动物，母亲有妊娠期，所以从交配到生孩子的时间跨度很长。因此，对于雄性来说，它们不确定出生的孩子是否就是自己的孩子。

所谓哺乳，是一种将自己的营养分给幼崽的行为，可以说是为孩子而牺牲自己。如果是自己的孩子，会心甘情愿送出自己的营养；但如果是别人的孩子，就不会愿意给予珍贵的营养了。因此，雄性哺乳动物即使会帮助照顾幼崽，也不会进行哺乳。"哺乳"这件事，只有经历过分娩之痛的母亲才会做。

虽然如此，在一夫一妻制中，出生的孩子很大可能是自己的孩子。因此，有些雄性动物也会付出巨大的努力来照顾后代。就像之前介绍的侏狨和夜猴一样，除了哺乳之外，几乎所有的照顾工作都由雄性承担。既然如此，那么索性让雄性也进化到能够哺乳好像也可以。那为什么雄性不会哺乳呢？

目前还不清楚具体的原因。

在雄性育儿时，它们负责警惕天敌袭击、驱赶竞争对手、保护领地。此外，它们还要为妻子和孩子们带来食物。雄性也是相当辛苦的。它们没有时间慢慢地哺乳。因此，有人认为，为了履行父亲的责任，它们可能被豁免了哺乳的任务。

无论如何，对于雄性来说，乳头是一个多余的器官。雄性这种生物不会使用乳头。

然而，令人惊讶的是，在哺乳动物中，也有雄性会喂奶。

棕榈果蝠是一种居住在马来西亚热带雨林中的蝙蝠，人们发现其雄性也会哺乳。捕获到雄性棕榈果蝠时，看到它们具有发达的乳头和能分泌母乳的乳腺。不对，不应该叫母乳，应该是父乳。

棕榈果蝠的详细的生活形态尚不明确。然而，在捕获的雄性蝙蝠中，有些乳腺饱满肿胀，也有些就和喂完奶的雌性一样，乳腺具有功能，但并不肿胀。由此可见，可以认为棕榈果蝠的雄性会进行哺乳。

雄性的乳头渗出乳汁的例子，时不时会有报道。但迄今为止，在其他哺乳动物中还没有发现雄性进行哺乳的例子。

然而，在进化过程中，出现了父亲给孩子喂奶的动物。

那就是人类。

通过奶瓶和奶粉，人类让父亲也开始能够哺乳。人类雄性能够体验到哺乳这件与孩子亲密接触的事情，实在是幸福的生物啊。

Chapter
10
昆虫的育儿

会育儿的昆虫比较少。

昆虫没有骨骼，但是有由硬化的表皮形成的外骨骼，它们的身体无法变大。因此，昆虫的体形通常非常小。

有骨骼的脊椎动物随着进化，身体变得更大了。在这个过程中，很多身体较小的昆虫成了脊椎动物的食物。小个头的它们，虽然想要育儿，但是没有能力保护孩子。因此昆虫选择大量产卵以繁衍后代，而不是精心育儿。

不过，也有一些昆虫会育儿。

蝎子和螳螂会抚养孩子。蝎子有毒针作为武器，而螳螂有强力的钳子。即使属于昆虫，只要具备抵抗敌人、自我防卫的能力，就能够照顾孩子。

此外，虽说不是昆虫，但蜘蛛中也有一些会育儿的品种。蜘蛛会以昆虫作为食物，天敌较少。

总之，能够育儿的昆虫数量有限，而且这些昆虫中通常是母亲育儿。

Chapter 10 昆虫的育儿

其实，在昆虫界中，也有一些由雄性抚养孩子的情况。为什么它们会育儿呢？

日语里有句俗语："一寸大的小虫子也有五分大的灵魂。"让我们一起来探寻一下这些小虫子充满父爱的育儿行为吧。

屎壳郎：
用珍藏的大粪球吸引雌性

"吃屎吧"是一种骂人的话，不过自然界有以粪便为食的昆虫。俗称"粪虫"。

神奇的是，以粪便为食的粪虫中，有很多都是雄雌合力育儿的。

屎壳郎是典型的粪虫之一。

NHK电视台的《大家的歌》节目中，有一首名曲，叫作《屎壳郎很忙》（词曲：塚本宏明；演唱：伊武雅刀）。歌词内容是屎壳郎爸爸哼着小曲，为了全家人滚动着粪球。

歌曲中唱道："我一直在滚动着粪球，这样就可以了吗？"这种无意的牢骚，代表了一些父亲的心声，令人感到悲伤。

话说回来，"屎壳郎"这个名字，取得相当厉害。

屎壳郎，源自其滚动粪球的行为。屎壳郎以家畜等动物的粪便为食。它们会将家畜的粪便做成粪球，然后用腿滚动，因此得名屎壳郎。

然而，在古埃及，屎壳郎被视为神圣的昆虫。古埃及人将屎壳郎滚动粪球的行为，视为太阳从东方移动到西方。古埃及的太阳神凯普里神的头部，就被塑造成屎壳郎的形状。

屎壳郎的生活状态十分有趣，在著名的《昆虫记》中，第一卷开头登场的就是屎壳郎，在第五卷中也有屎壳郎。只有屎壳郎跨卷出场了两次，显然作者法布尔非常喜欢这种昆虫。

为了吸引雌性，屎壳郎会制作珍藏级的气派大粪球。喜欢这个粪球的雌性屎壳郎，会前往雄性屎壳郎的地盘。

当雄性屎壳郎遇到能成为伴侣的雌性后，会让它乘坐在粪球上，并运走。运到终点后，雄性屎壳郎会在地面上挖一个洞，将粪球埋藏在地下，然后雄雌屎壳郎一同潜入洞中，卿卿我我，最后雌性屎壳郎会在粪球中产卵。

此时，雌性屎壳郎会将粪球整理成有细长颈部的梨形，在梨形的细颈部产卵，这是为了让卵可以获得氧气。

孵化出来的幼虫，将在父母留下的粪球中茁壮成长。

"育儿"意味着父母至少具有照顾子女的能力。雄性屎壳郎虽然不参与育儿，但在孩子成年之前，父亲会保护它们，制作足够供孩子食用的优秀粪球。

一项研究表明，世界上最强壮的昆虫是雄性屎壳郎。雄性屎壳郎能够滚动比自己身体重1000倍以上的粪球。当然，这种强大的力量是为了能照顾孩子。它们真是身强力壮的父亲啊！

西绪福斯蜣螂：
夫妻的第一件共同工作是滚粪球

屎壳郎有很多种，其中，体形较小的西绪福斯蜣螂，是一种雄性会协助育儿的昆虫，在《昆虫记》中也有所介绍。

在人类社会中，新婚夫妇的第一件共同工作是切开婚礼蛋糕，但在羊粪中相遇并结婚的西绪福斯蜣螂夫妇，第一次共同工作是切割羊粪，制作粪球。当粪球做好了，夫妻俩会合力滚动粪球。

雌性西绪福斯蜣螂比雄性的体形大，所以雌性会站在粪球前，用前腿抱住粪球并朝后拖动。而雄性会倒立着站在后面，用后腿推动粪球。就这样，它们会一起在崎岖的道路上，花好几个小时来合作运送粪球。

运送粪球结束后，雌性开始挖掘洞穴。此时，雄性会紧守着珍贵的粪球。雌性一边挖掘洞穴，一边把粪球往下拉，雄性则小心地将粪球放入洞穴，以防泥土崩塌。就这样，粪球被放入洞穴的深处。

之后，只有雄性会从洞穴中出来。在这期间，雌性把粪球整理成梨形，在梨形粪球里产下一颗卵。

雄性哪里都不会去，一直在洞外等待雌性。第二天，当雌性从洞穴中出来时，两只小虫会再次一起出门，去找羊粪。虽然可能会听到"不要只会看着，快来帮忙"这样的数落声音，但雄性恐怕正承担着警戒敌人的任务吧。

就这样，它们花费时间和精力，产下一个接一个珍贵的卵。粪球对幼虫来说，既是食物，也是隔绝敌人和干燥的庇护所。在父母为它们准备的粪球中，幼虫茁壮成长。

斑纹埋葬虫：
雄性会嘴对嘴给孩子喂食

斑纹埋葬虫是埋葬虫的一种。埋葬虫在日语里叫作"死亡虫"。

这种虫子以小动物的尸体为食，所以会从尸体中爬出来，因此得名为"死亡虫"。它们还会挖掘洞穴，将尸体埋葬后再慢慢食用，所以也叫"埋葬虫"。

不管是哪一个名字，都令人不寒而栗。

聚集在尸体上的埋葬虫，雄性之间、雌性之间都会因争夺食物而展开战斗，最终胜利的雄虫冠军和雌虫冠军，将组成令人羡慕的最佳搭档。

这对搭档会合作育儿。

首先，它们必须挖掘洞穴，将尸体埋葬在安全的地方。根据法布尔的观察，雄虫在这个阶段起着重要的作用。

埋葬虫会在尸体下方挖掘，让尸体渐渐沉入土中。在这个过程中，如果操作不顺利，雄虫会检查地面情况，研究尸体无法下沉的原因，或者寻找新的位置。这样看来，雄虫是出色的工地总监。

然后，埋葬虫夫妇开始为孩子准备大餐。

雌虫会细心地除去尸体的羽毛或者毛发，还会一边涂抹分泌物，一边将肉做成小团子。然后，当幼虫孵化后，雄虫和雌虫会吐出变软的肉，用嘴喂给幼虫。这种育儿行为会持续到幼虫进入蛹的阶段。

在昆虫界，给自己的后代喂食的父亲是非常罕见的，可以说是"奶爸中的奶爸"了。

话说回来，像屎壳郎和埋葬虫这种吃粪便或动物尸体的昆虫，乍一看会让人感觉很低等，但它们在抚养孩子方面却做得很好。

真是"虫"不可貌相啊！

红背蜘蛛：
为了未见面的孩子，
雄性有赌上性命的执念

1995年，人们在大阪发现了外来物种红背蜘蛛，这成了大新闻。

红背蜘蛛全名是澳大利亚红背蜘蛛，它们主要生活在澳大利亚，很久之前就被确认为有毒蜘蛛。所以这种蜘蛛的入侵，在日本引起了很大的骚动。

目前，红背蜘蛛已经在日本广泛扩散，以东海和近畿地方为中心，从东北一直到九州都有分布。

红背蜘蛛的背部有红色斑点。红背蜘蛛在日语里又叫作"后家蜘蛛"，"后家"是指寡妇。为什么要给它取这么悲伤的名字呢？

雌性红背蜘蛛的大小大约为10毫米，而雄性的大小只有约3毫米。而且，尽管被称为毒蜘蛛，但只有雌蛛有毒，雄蛛并不具有毒性。因此几乎没有人关注雄蛛。

然而，看似弱小的雄蛛，在交配时会采取大胆的行动。它们会将自己的身体放在雌蛛的口器前。如果有物体在蜘蛛眼前移动的话，蜘蛛会出于本能，捕捉并吃掉它。雄蛛会故意成为雌蛛的食物。于是，雌蛛就将作为伴侣的雄蛛当成食物吃掉了。然后，雌蛛失去了"丈夫"，成了"寡妇"。这就是"后家蜘蛛"这个名称的由来。

那么，雄蛛为什么会牺牲自己呢？

交配后由雌性吃掉雄性，这在蜘蛛中是很常见的事情。对于雌蜘蛛来说，只要是活的东西，即使是自己的伴侣，也都是可以捕食的猎物。而且，为了在交配后产卵，雌蛛需要营养，因此雄蛛成了它们理想的营养来源。当然，对于雄蛛来说，被吃掉并不是坏事，因为这样可以给自己尚未出生的孩子留下营养。

一般来说，雄性昆虫会与许多雌性昆虫交配，以留下足够多的后代。然而，雄性红背蜘蛛与雌蛛的相遇机会很少。如果与雌蛛相遇的可能性很低，那么雄蛛最好把自己的一切都奉献给已经遇到的雌蛛。

雄性蜘蛛是因为逃跑失败而被吃掉，还是由于希望成为孩子的营养而被吃掉，目前还无法断言。但是，如果它们是为了孩子而进行这场赌上性命的交配，那么简直可以说它们已经站在了父爱的顶峰。

然而，雄性红背蜘蛛之所以故意将自己献给雌性，是另有企图的。

蜘蛛的交配过程相当复杂。雌性蜘蛛有两个生殖孔。雄性蜘蛛将精液储存在两个触肢中，再用触肢将精液送入雌性的生殖孔。雄性红背蜘蛛通过被雌蛛吃掉来为自己争取时间，延长交配时间，以便送入更多精液。根据实验，雄蛛被雌蛛吃掉的话，交配时间会增加一倍以上。而且，在交配结束后，雄蛛会将触肢的末端折断，留在雌蛛的生殖器内，这样可以封闭生殖孔，防止雌蛛与其他雄蛛交配。雄蛛会对两个生殖孔都进行这项操作。为了争取这段时间，雄蛛自愿成为雌蛛的食物。完成这项工作后，它们筋疲力尽，生命也走到了尽头，最终被雌蛛吃掉。

虽然不能说雄蛛是疼爱子女的父亲，但是，为了没见过面的孩子，它们连性命都可以舍弃，可以说是抚育孩子的执念吧！

大负子虫：
想到是自己的孩子，
一百粒卵也仿若无物

大负子虫栖息在稻田等地，是约2厘米大小的小型水生昆虫。

大负子虫是一种"育儿虫"。雌性大负子虫会在雄虫的背上产卵，然后雄虫会背着卵游泳。这个样子就像在背负着孩子，因此得名为"大负子虫"。雌虫产卵后会离开去别的地方，留下的雄虫会保护卵。

很多时候，雄虫背上会背着满满当当的一百个卵。背负着这么多卵游泳并不容易。大负子虫使用镰刀状的前足，捕捉小鱼和其他昆虫作为食物，但必须是一边背着卵一边捕食。而且，由于背负着卵，它们无法展开翅膀飞翔。

而且雄性大负子虫的烦恼不止于此。

一些坏雌虫为了利用雄虫，会不断地接近它们。雌性大负子虫在交配后，会将雄性的精子储存在受精囊中，然后慢慢产卵。也就是说，雌虫在雄虫背上产的卵，有可能是雌虫和其他雄虫交配生产的。如果这样的话，雄虫将被迫抚养不属于自己的孩子。

雄性大负子虫非常谨慎。

它们会在水面上摇摆身体，进行求偶，吸引雌虫。即使雌性被吸引了，靠近过来，雄虫也不会高兴得太早。因为有可能这些雌虫只是来产下其他雄虫的孩子的。

雄性大负子虫绝不会放松警惕。即使交配之后，雄虫也不会立即让雌虫产卵。只有经过多次求爱和交配，雄虫才允许雌虫在自己背上产卵。不经过多次的交往，没法衡量出对方的爱意。

通过这种交配，雄虫会将其他雄虫的精子推送到受精囊的深处，这样可以确保生出的是和自己的精子结合的受精卵。

然而，即便如此也不能掉以轻心。对于雌虫来说，相比只生一只雄虫的孩子，它们更倾向于生下来自不同雄性的子嗣，以增加后代的多样性。因此，雌虫不会马上产卵，而是把和不同雄虫交配后得到的精子，暂时保存在受精囊里。一旦有机会，它们就可以把所有受精卵生在同一只雄虫的背上。

因此，有疑心的雄虫，会每交配一次就让雌虫生下一粒卵，这样可以确保生下来的是自己的受精卵。就这样反复进行交配，直到背负着一百个卵。雄虫真是太难了！

然而，还有更糟糕的雌虫。

雄虫对于雌虫毫不放松警惕，反复地进行求偶、交配和产卵，一刻也不会松懈。它们会小心翼翼地观察对方的举手投足，谨慎地行动。然而，趁着雄虫正忙于关注自己的伴侣，其他雌虫可能会趁机在它的背上产卵。

想要产卵的雌虫越多，照料孩子的雄虫数量就越不够。因此，雌虫会将卵硬塞给完全不认识的雄虫。

大负子虫的腿很短，一旦背上有了卵，它们就无法用自己的手脚把卵扒拉掉。

尽管雄性大负子虫如此谨慎，但研究人员调查其背上的卵的基因后发现，平均约有三分之一的卵是其他雄虫的。据说，有些雄性大负子虫背负的所有的卵都是陌生雄虫的，真是令人心痛！

这是何等复杂的恋爱博弈啊！

让人不由得感慨，生而为人，实在是太好了。

桂花负蝽：
由雄性照顾卵

桂花负蝽和大负子虫是同类。然而，桂花负蝽父亲的育儿方式与大负子虫不同。

交配后，雌性桂花负蝽不会将卵产在雄虫的背上，而是产在水面上凸起的植物茎秆或树枝上。随后，雄虫会在卵旁逗留，守护着卵。雄性桂花负蝽会时不时地从水中出来，用身体覆盖住卵，就像抱着卵一样。这样就能让卵保持水分，不会变干。

然而，为什么雌性桂花负蝽不像大负子虫那样在雄虫的背上产卵，而是将卵产在水上呢？这是因为卵的大小不同。

和桂花负蝽、大负子虫同属一类的，还有一种叫作水黾的昆虫。水黾通常漂浮在水面上生活，但在水中产卵。这是因为它的卵可以吸收水中溶解的氧气，不会窒息。

然而，卵的尺寸越大，卵相对的表面积就会不够用，导致氧气供应不足。因此，雄性大负子虫会背着卵，在水面附近游泳。

桂花负蝽的卵更大，水中氧气供应更不足。因此，它们将卵产在水上。

为什么桂花负蝽的卵更大呢？

桂花负蝽以蝌蚪为食。从小卵中孵化出的小幼虫是无法捕捉到这种食物的。因此，它们产下大大的卵，孵化出更大的幼虫。

而且，如果是小卵的话，一次可以产下很多，但大卵的话，无法生产太多。因此，它们会只产下少量的大卵，并让雄虫爱惜地守护着珍贵的卵。

雄虫会全心全意地照顾卵。一旦有捕食卵的天敌出现，它们会迅速游到水面并护住卵，并且挥舞前足，威慑敌人。

然而，雄虫没想到，有个意想不到的敌人正瞄准了卵。

那就是雌性桂花负蝽。雌性桂花负蝽在与雄虫交配后，会将从雄虫那里得到的精子，存储在精子囊中。然后，雌虫会利用这些精子，在一个夏季里多次产卵。

如果没有雄虫来照顾，卵会干燥而死亡。因此，一旦雌虫准备好产卵，它就要给自己找到一个能照顾卵的雄虫，所以才会去破坏雄虫守护的卵。

当然，雄虫也会拼命抵抗。有时它们会赶走雌虫，有时它们在与雌虫的争斗中取得胜利，最终把卵护好。

不过，会产卵的雌性桂花负蝽，要比雄虫的体形更大。因此，雄虫无法完全抵抗雌虫，卵被破坏的情况并不少见。

正在保护的卵被破坏了，雄虫只能无奈地接受雌虫，和它交配。然后，它们会保护雌虫产下的新卵。

在日本，桂花负蝽被称为"稻田王者"。然而，即使都是"王者"，雌性桂花负蝽仍旧更胜一筹。

后记

所谓"雄性",是种可悲的生物。

看看以"万物之灵"自称的人类,雄性的生活方式也不是什么值得自豪的事。

在满员的电车上颠簸,可算到公司了,却整天受到责备。零花钱有限,有时连"就喝一杯"都不够,甚至回到家,会开心来迎接自己的也只有家里的狗。在公司受了一天的气,回到家了,做了些事会被骂,不做什么也会被骂。

然而,尽管如此,他们内心深处还是爱着家人,虽然不会说出口,但他们还是为了家人,拖着劳累的身体,拼尽全力工作着。

世界上或许并不都是这样令人心痛的男人,但雄性生物多多少少就是这样。

这也是无可奈何的事情。

正如本书所介绍的那样,从生物的进化来看,雄性是为了让雌性更好地繁衍后代而存在的。

父母关心孩子这件事,并不是人类的专属,如果说只是本能行为的话就有点牵强了。看看自然界,生物的育儿有时是如此令人感动。

有一次,我用割草机给田地除草的时候,看到绿雉妈妈正在孵蛋。我一边发出声音一边把机器靠近,它却毫不退缩。

我想起了日本的谚语："焚烧的野地中的雉。"即使火焰逼近，野地里的雉也不会逃跑，一直孵着蛋，它会用被火烧焦的身体保护蛋。绿雉妈妈毫不畏惧割草机，继续孵蛋的姿态，让我感受到了"为母则刚"的力量。

而与此同时，雄性又在做什么呢？雄性绿雉"咯咯"地高声鸣叫着，既没有威胁我们，也没有保护蛋，而是立刻落荒而逃了。

发出那么大动静，最好还是不要抛下妻子逃跑吧。日本还有一句谚语"雉不叫就不会被打"，正因为叫那么大声，才会被轻易地攻击。同样是父亲，这实在是太丢脸了……

本来我有这样的想法，但稍加思考后，发现并非如此。

雌性绿雉有保护色，而相对地，雄鸟有绿色的羽毛和红色的脸，非常醒目。那只雄鸟发出高声鸣叫，正如"雉不叫就不会被打"，这样很容易成为目标。

站在雄鸟的立场上，不要特意鸣叫，默默逃跑就好了，或者不要从草丛中飞出，暴露身形，把自己隐藏起来也行。然而，雄鸟通过如此显眼地成为诱饵，能够转移敌人的注意力，保护雌鸟和蛋。或许，雄鸟如此大张旗鼓地逃走，就是为了保护雌鸟和蛋。

任何人看到，都会认为它是个抛妻弃子的冷酷父亲。但实际上，它是在竭尽全力保护妻子和孩子。

直面敌人或者单挑敌人，固然很帅气，但如果自己被击倒，妻子和孩子也会死掉。虽然和妻子一起抱着蛋死去，看起来很有面子，但这样却无法保护孩子。

大声鸣叫着逃跑的样子，就算客气来说，也不算帅气，但通过这种方式，远远地引开敌人，或许能够保护妻子和孩子。

父爱这种东西，是如此复杂，也是如此难以理解。

看到逃跑的雄雉，我仿佛看到了笨拙的雄性生活方式。

这样也挺好的。尽管外表看起来有些丢人，但雄性实际上是一种高尚的生物，也是幸福的生物。

本书介绍的生物生活，都是通过各方切实调查和研究得出的。我要深深感谢所有研究者。

另外，虽然本书没有生物的插图，但大多数生物的图片都能在互联网上轻松查到，如果您对此感兴趣，可以搜索看看。

最后，我要感谢筑摩书房的镰田理惠女士在本书日文版出版中所作的努力。

2014年5月
稻垣荣洋

小开本 N
轻松读文库

产品经理：靳佳奇
视觉统筹：马仕睿 @typo_d
印制统筹：赵路江
美术编辑：梁健平
版权统筹：李晓苏
营销统筹：好同学

豆瓣 / 微博 / 小红书 / 公众号
搜索「轻读文库」

mail@qingduwenku.com